AMAZING

스파이더맨은 많은 것들과 사투를 벌여 왔다. 평범한 범죄자, 뉴욕 시장이 된 범죄자, 메리 제인이 없어서 느끼는 외로움, 온몸에 붕대를 감고서 악몽에 등장하는 정체불명의 존재 킨드레드까지. 그러는 사이에 불운은 스멀스멀 고개를 들기 시작했다. 킨드레드를 통해 부활한 망자 스탠리 카터, 생전에 악인들을 주시하며 잔인한 심판을 내리기도 했던 이자에겐… '신 이터'라는 또 다른 이름이 있었다!

SPIDER-MAN CREATED BY
STAN LEE & STEVE DITKO

COLLECTION EDITOR JENNIFER GRÜNWALD
EDITOR, SPECIAL PROJECTS SARAH SINGER
VP LICENSED PUBLISHING SVEN LARSEN
VP PRODUCTION & SPECIAL PROJECTS JEFF YOUNGQUIST
MANAGER, LICENSED PUBLISHING JEREMY WEST
BOOK DESIGNERS ADAM DEL RE WITH JAY BOWEN
SVP PRINT, SALES & MARKETING DAVID GABRIEL
EDITOR IN CHIEF C.B. CEBULSKI

어메이징 스파이더맨: 신즈 라이징 Vol. 1 – 그린 고블린의 귀환

초판 1쇄 인쇄일 2023년 3월 15일 | **초판 1쇄 발행일** 2023년 3월 25일 | **지은이** 닉 스펜서 | **그린이** 기예르모 사나 · 마크 배글리 · 마르셀로 페헤이라 · 페데리코 비센티니 | **옮긴이** 이용석 | **발행인** 윤호권 | **사업총괄** 정유한 | **편집** 조영우 | **마케팅** 정재영 | **발행처** (주)시공사 | **주소** 서울 성동구 상원1길 22, 7층(우편번호 04779) | **대표전화** 02-3486-6877 **팩스(주문)** 02-585-1247 | **홈페이지** www.sigongsa.com ISBN 979-11-6925-676-6 07840 ISBN 978-89-527-7352-4(세트)
시공사는 시공간을 넘는 무한한 콘텐츠 세상을 만듭니다. 시공사는 더 나은 내일을 함께 만들 여러분의 소중한 의견을 기다립니다. 잘못 만들어진 책은 구입하신 곳에서 바꾸어 드립니다.

GREEN GOBLIN RETURNS

WRITER NICK SPENCER

AMAZING SPIDER-MAN: SINS RISING PRELUDE

ARTIST GUILLERMO SANNA
COLOR ARTIST JORDIE BELLAIRE
COVER ART RYAN OTTLEY & NATHAN FAIRBAIRN

AMAZING SPIDER-MAN #45, 48

PENCILER MARK BAGLEY
INKERS JOHN DELL WITH ANDY OWENS (#45)
COLOR ARTIST DAVID CURIEL
COVER ART CASANOVAS, MARK BAGLEY, JOHN DELL & CHRIS SOTOMAYOR

AMAZING SPIDER-MAN: THE SINS OF NORMAN OSBORN

ARTIST FEDERICO VICENTINI
COLOR ARTIST EDGAR DELGADO
COVER ART RYAN OTTLEY & NATHAN FAIRBAIRN

AMAZING SPIDER-MAN #44

ARTIST KIM JACINTO WITH BRUNO OLIVEIRA
COLOR ARTIST DAVID CURIEL
COVER ART CARLOS GÓMEZ & MORRY HOLLOWELL

AMAZING SPIDER-MAN #46-47

PENCILER MARCELO FERREIRA
INKERS ROBERTO POGGI
COLOR ARTIST DAVID CURIEL
COVER ART CASANOVAS

FREE COMIC BOOK DAY 2020

WRITER JED MACKAY
COLOR ARTIST DAVID CURIEL
ARTIST PATRICK GLEASON
LETTERER VC's CLAYTON COWLES
COVER ART RYAN STEGMAN, JP MAYER & FRANK MARTIN

AMAZING SPIDER-MAN #49

PENCILERS RYAN OTTLEY, HUMBERTO RAMOS & MARK BAGLEY
INKERS CLIFF RATHBURN, VICTOR OLAZABA & JOHN DELL
COLOR ARTISTS NATHAN FAIRBAIRN, EDGAR DELGADO & DAVID CURIEL
COVER ART RYAN OTTLEY & NATHAN FAIRBAIRN

"ALL YOU NEED IS..."

WRITER KURT BUSIEK
PENCILER/ COLOR ARTIST CHRIS BACHALO
INKER TIM TOWNSEND

"FOUR SHOES"

WRITER/ ARTIST TRADD MOORE
COLOR ARTIST TAMRA BONVILLAIN

"A FAMILY AFFAIR"

WRITER SALADIN AHMED
ARTIST AARON KUDER
INKER FRANK D'ARMATA

VC's JOE CARAMAGNA, LETTERER
TOM GRONEMAN & LINDSAY COHICK, ASSISTANT EDITORS
KATHLEEN WISNESKI, ASSOCIATE EDITOR
NICK LOWE, EDITOR

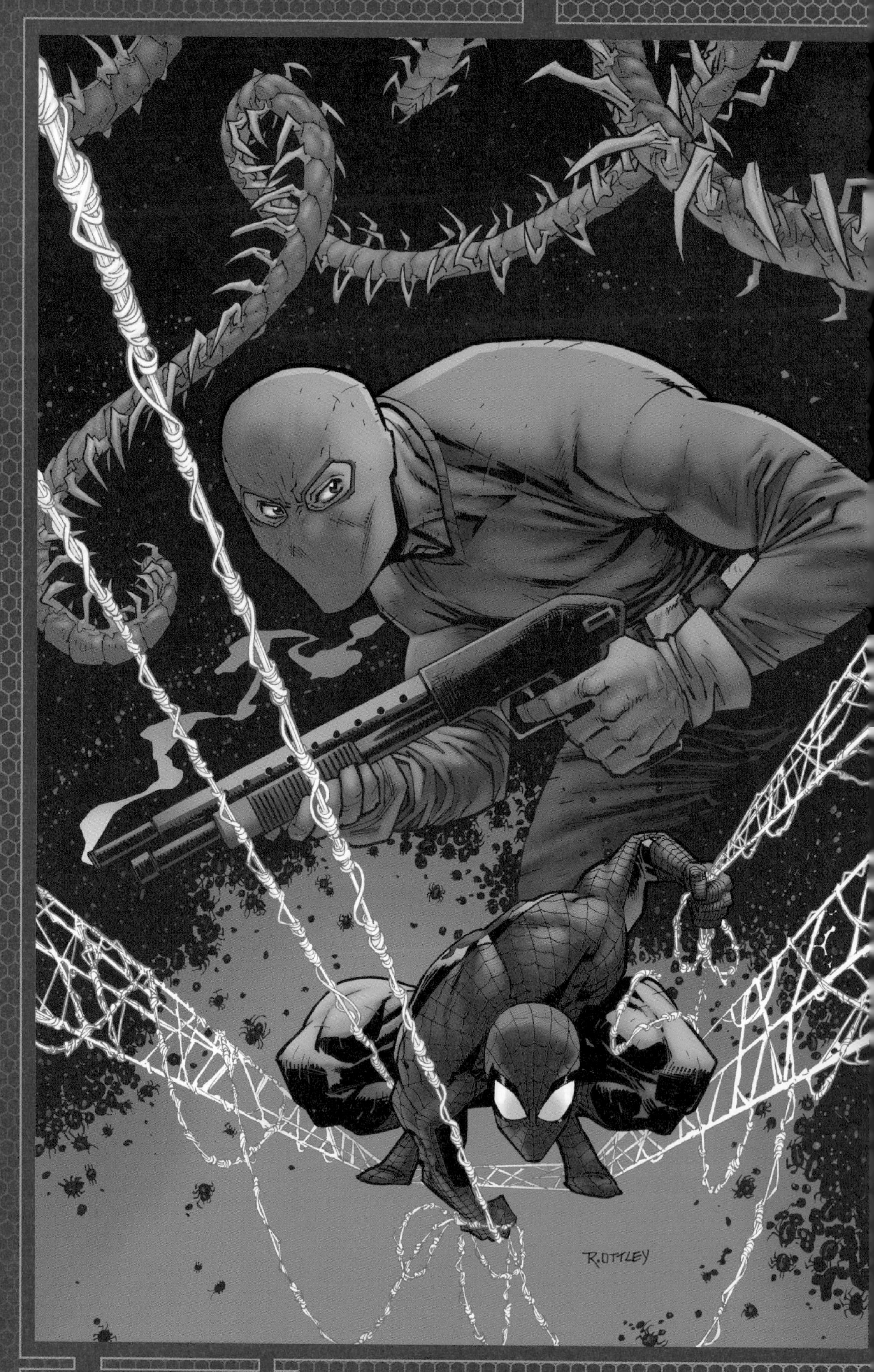

신즈 라이징 전주곡

우리 부모님은 60년대 끝자락, 뉴욕에서 서로를 처음 만나셨다. 어머니는 머리부터 발끝까지 어퍼 웨스트사이드 부촌에 사는 티가 났고…
…아버지는 미주리를 갓 벗어난 빼빼 마른 시골뜨기였다.
두 분의 첫 만남은 언뜻 보기엔 사랑 같았다.
하지만 시간이 흐르면 으레 그러하듯 두 분도 '세상을 보는 시야'가 넓어졌다.
그렇게 두 분은 평생을 마약 중독에 빠져 살게 됐고…
…아버지는 너무나도 이른 나이에 명을 달리하셨다.
어머니는 당신 품에서 돌아가신 아버지를 잊지 못하겠지만, 그런 기억이 없어도…
…아버지는 이미 어머니에게 당신의 '흔적'을 남긴 지 오래였다.
외가 식구들은 어머니가 저지른 사고를 수습할 생각이 전혀 없었다. 어머니는 중독 재활 센터에 입소했고, 난 태어나자마자 아주 멀리…

…오자크 산맥
깊숙한 오지로 보내져서…
…조부모 손에
자라게 됐다.

할아버지는
일요일마다 열두 명 남짓한
펜테코스트파 신도들에게 유황과
지옥 불에 대해 설교를 하던
엄하고 무서운 분이셨는데…
…외아들이던 아버지에 대해,
믿음을 저버리고 타락한 도시로
도망가서 이교도와 춤추다
마약에 빠져 죽은 놈이라고
말씀하셨다.

난 그 자리에 앉아
모든 걸 들었고,
똑똑히 기억했다.
할아버지는
아버지의 죄를
심판할 수 없기에…

…날 대신
심판하기로 하셨다.

제 아비하고 똑같구나.
물러 터졌어.

사실 난 방아쇠를
당긴 후 아무런
감정도 느끼지 못했다.
텐트 집회에서 할아버지가
뱀 다루는 걸 보여 준다며
방울뱀을 만지다 물렸을 때도
마찬가지로 아무 기분도
들지 않았다.
하지만 나랑 달리 할머니와 신도들은
오만 감정을 다 느낀 모양이었다.
다들 할아버지처럼 옳은 사람이 어떻게 이리도
어이없게 세상을 뜰 수 있냐고 말했다.
성령이 할아버지의 죄를 사하고,
할아버지를 굽어살펴야 했는데,
그러지 않았나 보다고.
그러더니 미신이나 믿던
사람들답게 할아버지를 확실히
천국으로 보내야 한다며
뭔가를 하기 시작했다.
다들 쉬쉬거리기만
하는 무언가를
부르기로 한 것이다.
끔찍하고 불경한 존재를
불러들이려는 신도들은
할아버지 시신을 밖에 둔 채,
문을 걸어 잠그고
밤을 보냈지만, 난…
…그걸 직접
봐야만 했다.
얼마 지나지 않아
어둠과 침묵이 내려앉자,
난 볼 수 있었다….

신 이터.

신 이터는 건국 초기까지 거슬러 올라갈 정도로 오래전부터 존재했으며, 동시대에는 한 사람만 존재했다고 한다.

그들은 숲속에 숨어 지내다, 의식을 치러 달라는 부름을 받으면 모습을 드러냈다.

망자의 가족은 시신 위에 고인이 생전 지은 죄를 상징하는 의미로 음식을 올려 두고…

…신 이터는 고인이 승천할 수 있도록 음식과 함께 고인의 죄를 집어삼킨다.

이런 희생을 통해 사람들이 신 이터를 존경과 친절의 눈빛으로 바라본다고 여길지 모르겠지만, 전혀 아니었다. 모두가 신 이터를 혐오하고 피했다.

신 이터가 나타나기라도 하면 누구도 눈길을 주지 않았다. 신 이터가 왔다는 건 고인의 가족에게 수치와 비밀이 있다는 뜻이었기에. 하지만 난 그에게서…

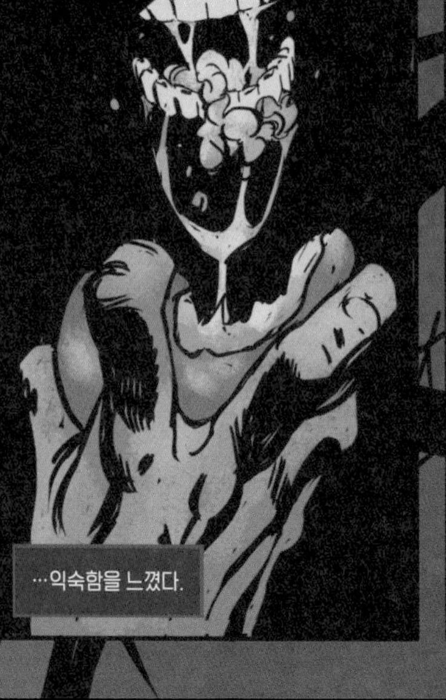

…익숙함을 느꼈다.

어찌 됐든 나 역시 또 다른 누군가가 세상에 남긴 죄악이지 않은가?

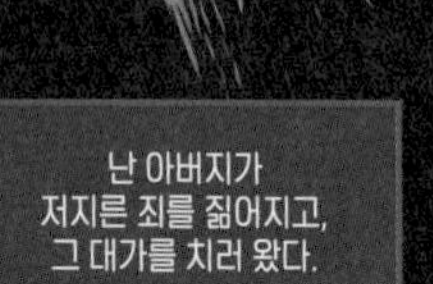

난 아버지가
저지른 죄를 짊어지고,
그 대가를 치러 왔다.

하지만 그날, 난 신 이터를 마주할 준비가 전혀 되지 않은 상태였다.

눈이 마주치자
분명히 느낄 수 있었다.
그 후, 아주 중요한 일이
일어났음을 직감했다.
난 부름을 받아
낙인찍혔고,
이전과는 달라졌다.
틀림없었다. 그 뒤로 겨우 몇 주 정도 흐른 뒤,
한 번도 만나 본 적 없던 어머니가 찾아왔으니까.
마약은 완전히 끊었고 직장도 생겼으니…
갑자기 와서
애를 데려갈 수는
없어—
왜 못 해요!
내 아들이 이런 데서
자라게 할 순 없어요!
변호사까지
선임했으니까—
…이제 자식을 되찾을
차례였기 때문이다.
스탠리, 뉴욕이 정말
마음에 들 거야. **박물관,**
엠파이어스테이트 빌딩,
코니 아일랜드… 어디든
데려가 줄게.
뱀을 다루던 할아버지와
신 이터가 있던 산맥은 그렇게
나와 연이 끊어졌다. 이후 오자크
산맥으로 절대 돌아가지 않았다.
하지만 내 마음은
오자크에
묶여 있었다.

그렇게 난
성인이 됐다.
머릿속에서 '무른 녀석'이라고
소리치는 목소리 때문에 난
S.H.I.E.L.D. 요원이 됐다. 아마
할아버지의 목소리가 아니었을까?
S.H.I.E.L.D.를
나온 후엔 경찰청에 들어가
형사가 되었다.
그리고
그 선택 때문에
이 자리…
…내 파트너의
장례식에
서게 되었다.
근무 중에 순직했고,
살인범들은
아직 잡히지 않았다.
좋은 녀석이었는데.

카터 형사님…
…잠깐
시간 됩니까?
괜찮으신지
확인 좀 하고
싶어서 말입니다.
신부님,
걱정해 주셔서
감사합니다만… 제가
지금 이러고 있으면
안 될 듯합니다.
동료분이 안식을
취할 수 있도록 옆에서
조의를 표하는 것보다
더 중요한 일이 있다는
말씀인가요?
네.
정의를
구현해야 합니다.
흠,
이해는 됩니다.
형사님, 전 미사
집전을 돕던 어린 시절에
성금함에서 돈을 훔친 적이
있습니다. 많은 돈은 아니었지만,
집도 잘사는 편이 아니었고
나이도 어렸거든요.
좀 사람답게
살아 보자는 마음이었지요.
그렇게 돈을 슬쩍해서
장난감 카드와 풍선껌을
사곤 했습니다.
뭘 말씀하고
싶으신 건지….
하지만 그 시절
전 한 번도 걸린 적이
없었어요.
다른 사람들 눈에는
누구보다 모범적인 아이였으니까요.
얼굴에 죄책감을 드러내지 않는 법을
알고 있었죠.

그리고 저처럼 잘못을 저지른 사람을 알아볼 수도 있게 됐습니다.
자신을 그렇게 고문하지 마세요, 스탠. 당신 잘못도 아니고, 책임을 물을 만한 일은 하지 않았어요.
고인인 친구분도 원치 않으실 겁니다. 복수에 사로잡히지 마세요!
진정한 힘은 용서에 있습니다!
하지만 지금 당장은 내게 아무런 힘도 없다.
혼자 추모할 시간을 가지라며 휴가를 받았다.
다들 날 생각해서 그러는 거라며 나한테는 아무것도 말하지 않는다. 누가 사건을 담당 중인지조차도.
그러면서 말을 아끼진 않는다.
시청자 여러분, 민감한 내용이니 주의해 주십시오….

오늘 밤 주제는 그냥 듣고 넘길 수 없는 소름 돋는 이야기이며…
…폭력, 망상, 공포로 가득 차 있습니다.
주인공은 바로… 뉴욕을 공포로 뒤덮은 연쇄 살인마입니다!
사건은 한 경찰관에서부터 시작됩니다. 넘치는 젊음과 열정으로 승진을 향해 달리던 청년이었죠.
냉철함과 굳건함을 갖추고 지구대장으로 승진한 그는 마스크를 쓴 모험가, 스파이더맨의 조력자가 됩니다!
그렇게 훌륭한 일을 해낼 운명을 타고난 듯했던 그는…
…자택에서 아주 잔인하게 살해당한 채 발견됩니다! 이 살인 사건은 뉴욕에 질문 한 가지를 남겼죠. 바로…
"진 드울프를 죽인 자는 누구인가?"

진….
카터.
유가족하고 나만 남겨 두고 가 버리면 어떡해?
지금은 내가 무슨 말을 해도 듣고 싶지 않아 하니까.
어떤 #$%&가 범인인지 말고 다른 이야기는 관심 없을 거란 말이지?
그래.
당연히 나한테는 아무도 티끌만 한 정보도 안 알려 줄 테고. 어느 팀에서 담당 중인지도 알 수 없어—
스탠, 네 파트너 살해 사건을 너한테 맡길 리가 없잖아. 왜 그래?
미안. 아버지네.
거짓말이다.

형사 앞에서
거짓말을 할 거면 좀 더
천연덕스러워야지.
그렇지만 오늘 하루는
아주 끔찍하기도 했고…
…마음이 무거울 테니,
그냥 넘어가야겠다.
미안. 어디까지
얘기했더라….
순직한
동료를
위하여.

이제
담당 수사관이
누군지 알게 됐다.
진이 왜
거짓말을 했을까?
아무튼, 이제
진짜 사건의 자초지종을
확인할 수 있어….
내 손으로 직접.
용의자를 이미
찍어 놨군. 정보원이 이름을
알아낸 모양인데…
녹음 파일이
잠겨 있네.

그렇다면 법원 명령을
받으러 갈 수밖에 없지.
경찰이다!
문 열어!
뭐 하는
짓거리야?!
어떤
자식이—
카터 형사? 이게—
이게 도대체 무슨 짓이야?!
얼마나 무례한 일인지
알기는 해?
로젠탈 판사님,
좋은 저녁입니다.
네, 압니다.
부탁이 있어서요.
지금?!
정신 나간 건가?
새벽 두 시라고!
네,
새벽 두 시군요,
판사님…
…댁에서
사모님이 정말
걱정하고
계시겠네요.

로젠탈이
주소 하나를
알려 줬다.
그 하나면
충분하지.
누군가 내 파트너를
죽이라는 의뢰를 받았다.
공범까지 대동했고.
녀석들은 먹고살려고
늘 하던 일을 했겠지.
그럼 난
이제부터…
채널 고정해
주셔서 감사합니다.
현재 뉴욕은 공포에 빠졌고,
살인마는 아직 잡히지
않았습니다만… 그 이름이
공개됐습니다.
범인이 직접
밝힌 이름은…

신 이터 라고 합니다!
이자는 악의 무리를 소탕하겠다고 공언했지만, 도덕적 잣대가 상당히 뒤틀린 미치광이에 불과한지라 살해당한 건 무고한 시민뿐이었습니다.
덕망 높기로 유명한 판사가 범죄 용의자를 사면했다는 이유로 신 이터의 표적이 됐고…
…제자들 앞에서 잔인하게 처형당했죠!
하지만 더 충격적인 사건이 일어납니다….
지역 사회에서 존경과 사랑을 받던 한 신부가 사형수 인권 개선에 적극적으로 목소리를 높였는데…
…그게 신 이터의 역린을 건드렸고…
…신부는 결국 성당 고해성사실에서 살해당하고 말았습니다!

길거리를 활보하는 이 괴물의 행보를…
…막을 수 있는 유일한 사람은 바로…
어메이징 스파이더맨
뿐입니다!
그게 저예요! 안녕, 여러분!
짝
짝
짝
데일리 뷰글의 베티 브랜트 기자가 살해당할 뻔했던 사건 이후, 스파이더맨도 그냥 넘어갈 수는 없게 됐죠!
짝
짝
짝
벽타개는 너무나 분노한 나머지 신 이터를 때려 죽일 뻔하지만…
짝
짝
짝
…선을 넘기 직전에 또 다른 복면 자경단인 데어데블이 나타나 스파이더맨을 저지했습니다!
짝
짝
짝
어휴, 진짜 사고 낼 뻔 했었다니까요! 스파이디는 살인 안 한다는 거, 다들 아시죠?
정말정말 화났을 때 빼고는요.
아하하하 하하
우우

잠시 광고 방송 후에
돌아오겠습니다….
으아악!
넌…!

드디어
왔군요.
기다리고
있었어요.
여기 앉으면
모든 게 보이죠.
어떻게 시작됐고, 어떻게
끝나는지 말이에요.
솔직히 별 신경 안 쓰여요.
그 사람이 다정하기만 한 건
아니었지만, 그래도 우린
한 가족이었는데….
그래서
이유라도 알고
싶네요.
왜 저한테
그런 짓을 하게
했어요?

물러 터졌어.
진정한 힘은
용서에 있습니다!
엘리베이터가…
올라갔다가…
내려갔다가….

자, 여러분,
오늘의 게스트가
오셨습니다.

열렬한 박수로
오늘 밤 특별 게스트를
맞이해 주시기
바랍니다.
스탠리 카터
형사입니다!
짝
짝
짝
짝
짝
짝
짝
짝
짝

자, 이쪽으로
앉으시죠.

그럼, 스탠… 이런 질문
드리는 게 쉽지는 않지만…
대량 살인범이 된 기분이
어떠십니까?
전에도
그 질문을
했었어….

여, 여긴
전에도 와 본 적
있는데.
아, 그렇고말고요.
여러 번 나오셨으니까요.
그래도 이번엔
특별히 보여 줄 게
있다고 하셨잖아요.
기억 안 나시나요?

제, 제가
그랬나요?
녹화 영상이 있으니
관객분들과 다 같이
보도록 하죠.
나였어…. 내가
그랬던 거야….

신 이터는 바로 나였어…. 내가 그 많은 사람을 죽였다고….
진… 이런… 하느님….
"스파이더맨, 데어데블… 두 사람이 절 막고, 법의 심판을 받게 했어요."
"그 후엔 정신 병동에 갇혀서 평생 밖으로 못 나올 줄로만 알았는데, 어느 날 갑자기…"
"…절 풀어 주더군요."
"치료가 끝났다면서요. 맞는 말이었지만…"
"…아직 제 안에는 그놈이 남아 있었어요. 절 따라다니며 괴롭히는 그 목소리가 여전히 귓가를 맴돌았으니까…."
하 하 하 하 하 하 하 하 하 하
"그 굴레에서 미치도록 빠져나오고 싶었어요. 모든 걸 바로잡고 싶었죠…."

진을 위해.
그래서 온 세상에 제가 저지른 잘못을 사실대로 털어놓기로 마음먹고 책을 쓰려 했지만…
…스파이더맨이 나타났어요. 제 말을… 안 믿어 주더군요. 여전히 화가 잔뜩 나 있었고….
형씨, 다시 한번 말해 줄게!
'한번 신 이터는 영원한 신 이터다', 이 말씀이야!
BA-DUM-CHA!
하 하 하 하하 하
맞는 말이었어요. 전 여전히 맛 간 놈이었으니, 결국엔 신 이터가 제 몸을 지배했겠죠.
그래서 광기를 매듭짓기로 했습니다.
당시 영상을 한번 보실까요….

총 치워도 돼요,
토크.
일렉트로는
물에 흠뻑 적신 다음,
절연재로 감싸서 거미줄
둘둘 말아 놨으니
별문제 없을 거예요.

오,
이런.

스탠!

카터, 이 머저리 같은 놈!
무슨 짓을 한 거야!

무슨 짓을 한 거냐고?!

스탠, 어떻게 된 거야?

내가… 이겼어.
신 이터는… 죽었어.
이제 난 자유롭게 살 수 있게 됐어….

상태가 정말 심각했네요…. 자기랑 신 이터가 다른 사람인 줄 알았던 거예요.
그렇다면…

최후의 승자는 카터겠군.
끝까지 신 이터의 총을 장전하지 않았으니까.

다음화

스파이더맨의 무시무시한 적수가 돌아온다!
박진감 넘치는 이야기를 놓치지 마세요!

타란툴라!!

구매 필수

강렬한
이야기네요,
스탠.
중요한 건 이게
먹혔다는 거예요.
지옥을
빠져나갈 수 없어도
괜찮아요. 마냥
나쁘기만 한 것도
아니니까요….

지옥 불이
뿜는 열기에
익숙해지기만 하면
말이죠.
AWWWWWW

이래도 싸요.
제가 다른 사람들한테
한 짓을 생각하면, 당연한
일이죠. 마땅히 처벌받고
괴로워야 해요. 그렇지만,
솔직히 말해서…
…지금보다
자유로웠던 적은
없었어요.

그거 참 잘됐네요, 스탠.
진심으로요. 근데 저희가
특별한 손님을 한 분 더
모시기로 했거든요.
네?
스탠을 아주
잘 아는 분인데,
몇 마디 하실 말씀이
있대요….

이럴 순 없어….

안 돼.
그렇습니다! 옛 **파트너께서** 다시 와 주셨어요!
제발… 다른 사람을 해치지 마.
아, 그럴 리가요. 말 한마디 하지 않을 겁니다.
…당신 허락이 없다면요.
내… 허락 이라니… 무슨….
이해가 안 되겠죠. 두 분을 한자리에 부르려고 정말 오랫동안 공들였는데, 그런 반응이라니. 솔직히 가슴 아프네요.
계속 '이런 꼴을 당해도 싸다' 같은 말을 했죠? 그렇지 않아요. 당신은 마땅히 해야 했던 일을 한 거거든요.
고해며, 속죄며, 용서 말이죠.
다 모든 걸 바로잡으려고, 자기 영혼을 구제하려고 한 일이잖아요.
아직도 모르겠나요?
이런, 세상에….
당신이 지옥에 온 건 당신 죄 때문이 아니라…

당신이 죽인 사람들의
죄 때문이에요.
그렇게 예쁜
여자는 또 없었어….
거기다 내 말도
잘 들어 주고….
안 돼….
예쁜
스티커가 있단다.
보고 싶지 않니?
아무도
모를 거야….
그저…
그 사람을 지키려고
살짝 거짓말한 것
뿐이야….
진….
안 돼….
하느님….
근데 말입니다…
다들 거짓말했다는 거,
눈치챘죠?
망상이라느니,
정신병이라느니…
가당찮은 소리.
이건
축복이에요.
다른 사람의
죄를 대신해서 옮겨 받고,
악업을 정화하는 일말이에요.
고인이 무거운 죄를 떨쳐 내고
자유로이 승천할 수 있게 해 주는데,
그런 따뜻하고 숭고한 행위가
또 어디 있겠어요?
이젠 잘 아시겠죠?
당신은 괴물이 아니에요.
사람들을 죽인 게
아니라…
…구원했다고요.
근데 이 세상은
그런 당신을 어떻게
취급했죠?
꾸짖고,
가두고, 그 이름을
욕보였어요.
선대 신 이터들에게
그랬던 것처럼.
가여운 카터 형사….
얼마나
가슴 아팠을까….

어이, 스탠.

넌 멋진 인생을 살았어. 근데 그런 삶을 내다 버리겠다니…
…정말 큰 실수라는 생각 안 들어?

내가 도와줄게. 네가 운명을 따를 수 있도록…
사명을 이룰 수 있도록.
나라면 쓴소리만 하던 세상으로 널 돌려보낼 수 있어….

모든 걸 정화하도록 도울 수 있다고.
넌 그냥 받아들이기만 하면 돼.

아, 역시….
이래야 너답지.

신이다가
비상하리라!

SINS RISING PRELUDE VARIANT BY BOSSLOGIC

44
그를 경계하라

요즘 일이 술술 잘 풀리는
느낌이랄까?
너랑 나 사이 말이야.
우리 둘만 남아…
…끼어드는 사람 없이
잘 흘러가고 있잖아.
PIZZA

너한테 보여 주고
싶은 게 너무너무
많거든, 피트.
하고 싶은
얘기도 참 많아.

얼른 얼굴 맞대고
직접 만나고 싶어서
흥분까지 할 정도야.

그렇지만 당장은
지금 이 순간을
즐기자고.

VROOOOOMMM
꿈속에서 다시 만나기로 하지.
좋아하는 노래 있어?
내 능력 덕분에 어떤 차든 건드리기만 하면 마음대로 출력을 끌어올리고, 개조할 수 있거든.
근데 못 하는 게 하나 있어. 뭔지 알아?
라디오 고치는 거.
CLICK
어쩔 수 없지, 뭐. 제대로 굴러가는 게 더 중요하니까.
가는 동안엔 뻔한 영화처럼 시간이나 때워 볼까?
뭔 일인지 얘기나 하면서.
VROOOOOMMMM

"어떻게
거냐면…."
이름이 뭐랬더라? 오버드라이브라고?
맞아….
그럼 진정 좀 해라, 오버드라이브.
그러니까. 돈으로 행복을 살 수는 없다고들 하지만, 눈앞에 돈 무더기 쌓인 걸 직접 보면—
속이 울렁울렁하지.
그래, 말 잘했다. 너희 상태가 좀 안 좋은 것 같은데, 병원에나 가지 그래?
아, 저 친구는 확실히 병원에 가야겠지. 제일 좋은 약…
…1인실, 전담 간호사에 진통제도 한가득 놔 줄 거야.
넌 국경 밖으로 우릴 빼 주기만 하면 돼.
아, 그 얘기 말인데… 계약을 다시 생각해 봐야겠어.
왜?
"왜"?!
좀 전에 경찰을 무더기로 죽여 놓고 그딴 #$%& 소리가 나와?!
아, 그거 때문에?
아직도 꿍해 있냐? 새끼야, 그만 좀 해. 그렇게 삐죽거린다고 해서 죽은 놈들이 살아나는 것도 아니잖아.
떨쳐 내고 네 인생이나 살아. 뒈진 놈들도 그게 맞는다고 할걸.
말 잘했네. 근데…

그렇게 불편하면
네 몫은 그냥 순직 경찰
유가족 지원 단체에
기부하는 게 낫겠어.
그래, 나한테 넘기면
내가 확실히 전달해 줄게.
내 몫도 조금 얹을지
모르는 일이잖아?
병신들.
돈만 털어서
튀면 '한탕 쳤다'고
하지만…
…나오면서
경찰을 한 무더기 죽이면
"이제 자살해 봅시다"라는
뜻이라고. 아직도 어떤
벌집을 쑤신 건지
감을 못…
…잡았냐?
뭔 일이야?
VRRROOOOOOMMMM
그렇게 얘기하는
중이었는데….
왜 불이 나갔지?
왜긴?
들켰으니까
그렇지.
설마 퍼니셔는
아니겠지?
퍼니셔가 온 거야?
어떡하지?
아니, 난
처벌하는 사람이
아니다.
그냥 고해나
들으러 왔을 뿐.
어떤 새끼가?!

정화될 수 있게
고해해라.
근데 너희 셋은
그럴 필요 없어. 너무
늦었으니까.
그러셔?
어쩔 건데, 스키
마스크 씨?
아,
난 아무것도
안 해.
'이너 데몬'?
악마는 무슨.
악마의 악 자도
모르는 것들이….
너흰 정말 많은
죄를 지었어.
느껴지지?
끄으윽.
꾸물꾸물 몸속에서
발버둥질하면서…

미친 듯이
튀어나오고 싶어
하잖아.
너희 상대는
내가 아니라
이 녀석들이야.
국경만 넘어가서
세 놈 다 죽여 버리자.
그럼 나 혼자 다
꿀꺽할 수 있어.
죄의식에 서서히
짓눌리다가…
흔적도 없이
잡아먹히겠지.
아빠? 아빠,
어디 있어?
왜 아빠가 집에
안 오지?
지금
엄마랑 같이
있나?!
"살면서
이런 소릴 할 줄은
꿈에도 몰랐지만…"

…차라리
퍼니셔를 보내 달라고
기도했어.
너도
정화해 주마.
그래….
챙겨 줘서
고맙지만…

CRASH
…비행기 시간 돼서
마음만 받을게.
"난 운이
좋았어."
"간신히
도망쳤지."
"아니…"
"도망친 줄로만
알았어."

VROOOOOMMMM
"액셀이 부서져라
밟으면서 꽁지 빠지게
달리는데…"
본능적으로 아는 듯
머릿속에 똑같은 말이
맴돌더군.
"뒤돌아보면
안 된다고."
"그놈을 따돌리려고
계속 더 빠른 거로 갈아탔지만,
아무 소용도 없었어."
"잠깐 멈춘다거나,
조금이라도 꾸물거리면…"
"어느새
내 꽁무니 뒤까지
따라잡고는…"
"점점 더 거리를
좁히면서…"
…가까워졌어.
이대로는
분명히 잡히고
말 거야.

VVRRROOOOOOOOM
"터널에선 거의 잡힐 뻔했어."
"그러고 나니 다른 방법이 없다는 걸 알게 됐지."
MMMMMMMMMMMMM
"3일 밤낮 동안 계속해서 도로 위를 내달렸어."
"쉬지도, 멈추지도 않고서."
MMMMMMMMMMMMMM
"이렇게 오랫동안 달려 본 적이 없어서 얼마나 더 버틸 수 있을지 모르겠군."
"내가 먼저 나가떨어지든가, 경찰한테 잡히든가… 시간문제겠지."
누굴 다치게 할 마음은 전혀 없었어.
그래도 이젠 괜찮아. 너무 오래 도망치느라 이젠 차라리 그놈한테 잡히는 편이 속 편하겠다는 생각이 들거든.
근데…
…아무래도 진짜 목적은 내가 아닌 것 같네.

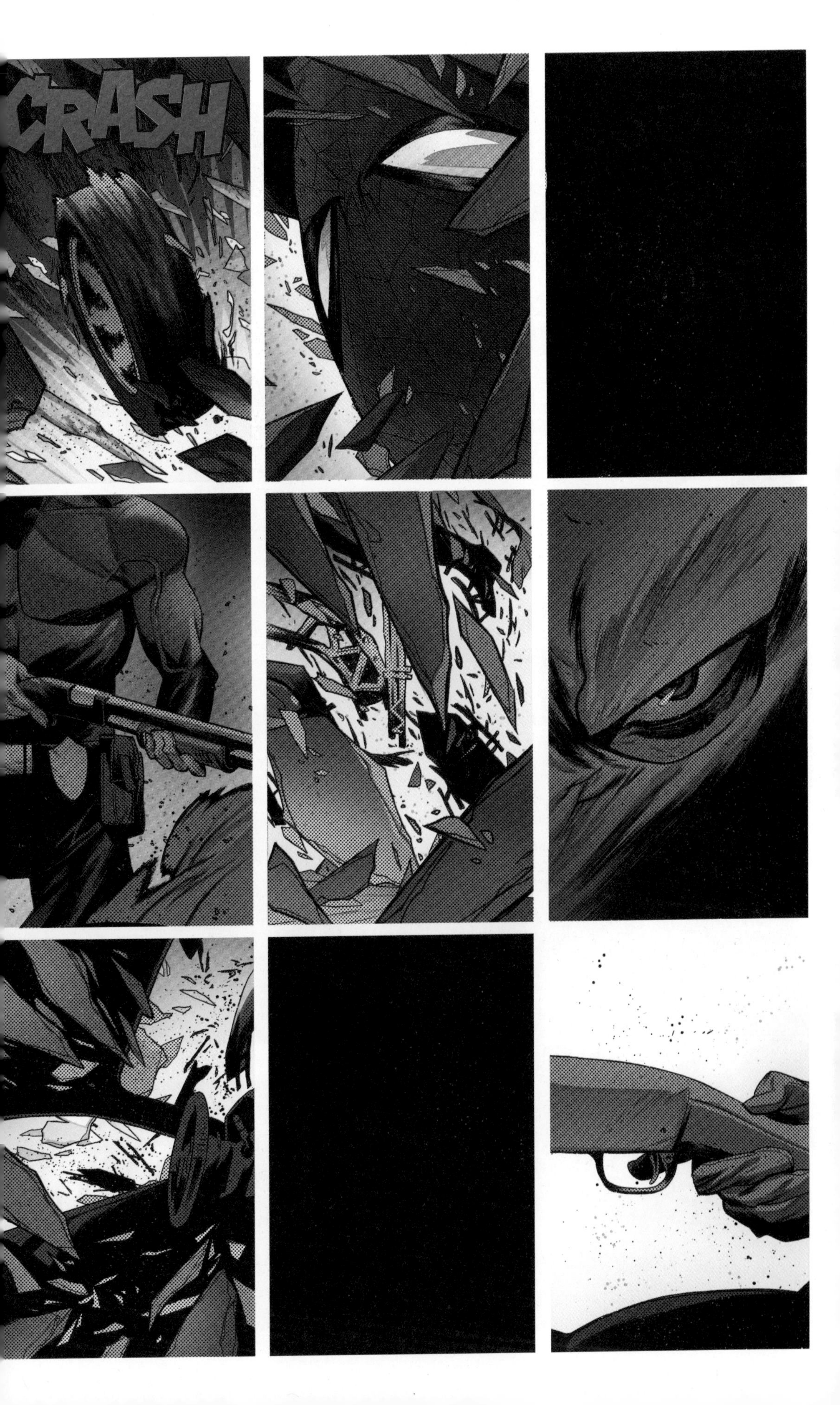
CRASH

MJ,
나야.
잠깐 떨어져 있어도
괜찮다고, 너한테
아무 일도 없을 거라고
했었잖아?
나도 그렇게
생각하고, **널 믿어.**
그런데…

…너 없이는 내가 못 버틸 것 같아.
잠도 제대로 못 자고, 일어나면 정말… 뭔가 잘못됐다는 기분이 들어.
그게 다…

…네가 떠나고 나서부터 그래.
오해하지는 말고. 좋은 기회 잡으러 가서 기뻐.
아니, 간 게 기쁘진 않은데… 무슨 말인지 알지? 일이 잘 풀려서 다행이란 말이야. 나야 어떻게든 너한테 힘이 되고 싶으니까.

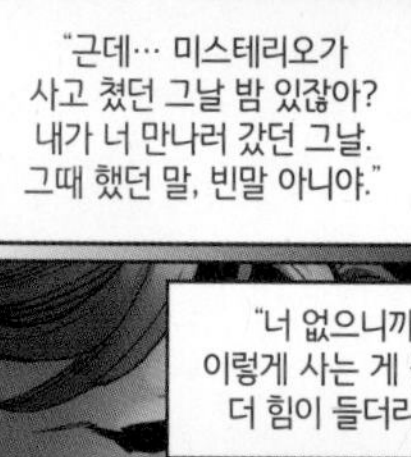
"근데… 미스테리오가 사고 쳤던 그날 밤 있잖아? 내가 너 만나러 갔던 그날. 그때 했던 말, 빈말 아니야."
"너 없으니까 이렇게 사는 게 점점 더 힘이 들더라."

그리고 저번에 조나랑 팟캐스트 녹음한 날도 참….
뼈 때리는 말을 들었어. 조나니까 100% 옳다곤 못 하지만, 내가 다른 사람하고 거리를 둔다는 얘길 하더라.
주변 사람이 다치지 않게 한다는 핑계를 댄다고….
맞는 말이지만, 실은 더 복잡한 사정이 있어.

전에 우리 헤어졌을 때, 한번은 그런 적 있었어. 진짜 늦게까지 순찰 돌고 나서 집에 오자마자 바로 곯아떨어졌거든?
다음 날 아침에 평소처럼 늦잠 자는 바람에 아무거나 대충 걸쳐 입고 뛰어나갔지. 근데 현관문 열고 밖에 나가기 직전까지…
…마스크 쓰고 있던 걸 전혀 못 알아차렸어.

갑자기 그렇게 된 건 아니야. 스파이더맨 활동을 계속하면서 피터 파커일 때가 점점 줄어든 거지.

나 혼자 속으로 '오히려 좋아. 사람들이 날 믿고 있으니까. 스파이더맨 활동이 다른 일보다 훨씬 중요하잖아. 장보기나 독서나 산책…
…그런 것보다 무조건 더 중요하지'라고 되뇌었어.
근데… 이게 점점 더 많은 걸 앗아 가니까 너무 무서워….
날 통째로 집어삼킬까 봐 무서워 미칠 것 같아.
"난 스파이더맨이 될 수밖에 없어. 그렇지 않으면 사람들이 죽으니까. 날 따르는 책임이 있으니까."
"그렇지만 너 없이는 못 해, MJ."
마스크를 벗을 이유가 있어야 하거든.
미안해. 너한테도 큰 부담이란 거, 잘 알아. 근데 전에 말했듯이, 요즘 통 잠을 못 자서… 솔직히 음성 메시지로 헤어지자는 소리 안 해서 놀랄 정도야.
그게 말이야… 사실 너 떠나기 전에 하고 싶은 말이 있었어. 또 나 때문에 골치 아픈 일이 터져서 너랑 헤어지기 전에 말이야. 그게 뭐냐면… 아니다, 그냥 못 들은 걸로 해 줘.
나중에 돌아오고 나서 얘기하자.
사랑해. 나중에 또 전화할—
TING

커어억—
넌 지금
죽는 거야.

기분 참
이상하지?
죽을 때가 되면
다들 한기를 느낀다던데…
글쎄? 난 안 그랬거든.
아마 난 상당히
드문 케이스라서 남들하고
다른 거겠지.
그래도 내가
얼마나 진심인지 알 수 있게
너한테도 죽음이 어떤 느낌인지
꼭 알려 주고 싶었어.
그리고
한 가지 더 분명하게
알아 뒀으면
하는데…
…내가
그만두는 일은
절대 없을 거야.

내가
도대체 누군지
아주 궁금하지?
그래서 잠도
제대로 못 자고.
근데 말이야, 진짜
궁금해해야 하는 건
내가 누군지가 아니라
뭘 원하는지야.

하아
거짓말은 안 할게. 생각보다 그렇게 기분이 좋지가 않아. 놀랄 일은 아니지. 왜냐…
이건 그냥 꿈이잖아?
근데 꿈 밖 현실 세계에 내가 뭘 좀 준비해 뒀어.
아주 무시무시한 무언가를.
미리 막고 싶으면 내가 하라는 대로 토씨 하나 안 틀리고 잘 따라야 할 거야.
이렇게밖에 할 수 없어서 유감이네.
약은 장난질 한 것도 좀 미안하고. 꿈속의 꿈이라니, 해도 해도 너무하지?
"그래도 위로 한마디 해 주자면… 이건 네가 꾸는 꿈이 아니야."

45

신즈 라이징 1부

어린 시절엔 오로지 아버지 같은 경찰이 되는 게 내 꿈이었지.
어린 내게 아버지는 커다란 바위처럼 듬직한 분이셨고, 매일 나쁜 놈들을 잡으며 사람들을 보호하는 일을 하는 존재였어.
조금 머리가 크고 난 후, 우리 아버지는 검시관이고, 생각보다 복잡한 일을 하신다는 걸 알았어. 하지만 그래도 여전히 내겐 훌륭하고 영웅이셨지.
EXIT
아버지는 미제 사건 해결을 도울 '조수'로 종종 날 몰래 검안실로 불러 주셨는데, 그럴 때면 정말 행복했어.
하지만 그것도 아버지가 교통사고를 당하시면서 다 사라지고 말았어.
그렇게 나만의 영웅을 잃고 세상이 무너진 듯했지만…
아버지의 길을 따라 걷겠다는 마음만은 꺾이지 않았고…
난 졸업하자마자 바로 경찰 대학에 입학했어.

그 뒤론 인생이 참
빠르게 흘렀네.
한 남자를 만나
사랑에 빠지면서
잘 풀리는 듯싶더니…
그 남자가 바로 어메이징
스파이더맨이었던 거야.
그런데 그것도 모자라…
돌아가신 줄로만 알았던
아버지가 실은 살아 계셨어.
아버지가 죽은 척하고
슈퍼빌런 미스테리오와
손을 잡았었다는 것을…
…더는 아버지가
영웅이 아니란 것도
알게 됐어.
그 뒤로는
모든 게 꼬이기 시작했어.
내 인생에 코스튬 입고
초능력 쓰는 슈퍼빌런이 마구잡이로
드나들더니, 결국 역겨운 고블린
혈청 때문에 나까지 빌런이 됐지.
이 지경인데 어떻게 버틸 수 있겠어?
그래서 저 멀리
남부로 떠난 거야.
앞으로 어찌 사나
걱정했는데,
괜한 근심이더라.

녹음 시작.
검시자는 NYPD
검시과 소속 형사
칼리 쿠퍼.
할 일이
없진 않으니까.
사건 번호 0087-43156.
부검 전 육안 검사를
진행한다.
뉴욕을 떠나는 건
결국 아무 소용 없었어.

이젠 도망치지 않을 거야.
하지만 NYPD에서
복직까지 시켜 줬는데도…
…뭔가가
부족했어.

그러다 나처럼 히어로 때문에
속을 앓는 사람들이 함께하는
모임이 있다는 걸 알게 됐고…

자연스럽게 나처럼
스파이더맨하고 사귀어 본
(그리고 지금도 사귀고 있는)
MJ와도 공감대를 이뤘지.
그렇게 인생이
천천히 정상으로
돌아왔어.

정상이라 해도 남들하고
좀 다르긴 하지만. 아무튼…
하아 어쩌다
여기까지 오셨나
한번 볼까.

…더는 깜짝 놀랄 일이
안 생기길 바랄 수밖에.

아버님을 그렇게 지극히 추도하다니, 너의 효성이 지극한 탓인 줄 안다. 그러나 햄릿—
요즘 들어 통 잠을 못 자겠다.
꿈자리가 사나워서 미치겠거든. 정확히 기억은 안 나고 잔상만 어렴풋이 생각나.
스멀거리고…
깨지며…
파묻혀 버려.
유쾌한 경험은 아니지만, 덕분에…
—너의 아버님께서도 어버이를 여의셨고, 그분 어버이 역시 어버이를 여의셨다는 것을 알아야지.
살아남은 자가 잠시 상복을 입고 애틋한 정을 쏟는 것은 자식으로서 마땅한 도리일 것이다. 그렇다 하더라도—

…멍하니 안 있어도 되겠네.
누가 보면 정말 궁금할 거야. 왜 피터 파커는 금요일 밤에 혼자서 지루한 셰익스피어 연극이나 보며 꾸벅꾸벅 졸고 있을까? 그건 바로…
…바람맞았기 때문이지.

원래는 다
계획이 있었다고.
MJ가 영화 촬영을
끝내주게 마치고
돌아올 예정이었어.
그래서 맨해튼에서 제일 유명한
식당을 예약해 듣도 보도 못한
요리를 즐기고 나서…
…오붓하게 같이
연극을 볼 생각이었는데.
MJ가 제일 좋아하는
셰익스피어 연극 말이지.
그래, 그래,
훌륭한 계획이었어,
파커.
근데 제일
중요한 게 빠졌잖아.
제일 중요한 사람이—

어휴, 아니다.
그런 얘기 해서
뭐 하겠어.
혹시 일행이
있으신지—
아뇨, 혼자예요.
감사합니다.
내 문제나
생각하자.
갑자기 일이 생겼다면서
MJ가 약속을 취소했지….
평소에 MJ가 나 때문에
어떤 심정이었을지 이번 기회에
느껴 보자고 생각해 봐도…
…기분이 전혀
나아지지 않아.
*우퍼히어로 택시로 번 돈을 탈탈 털었는데 무용지물이 되다니,
견디기 힘들다. 아, 물론 혼자 오느니 다른 누굴 데려오는 게
낫겠다는 생각을 하긴 했지만…
메이 숙모는 F.E.A.S.T.
센터 모금 행사에 가시고,
랜디는 슈퍼빌런 여자 친구랑
비밀 데이트 하러 갔고
(진짜 나중에 얘기 좀 해야지, 원)
부메랑은…
…애초에 절대 초대할
생각도 없었고. 걔도
거대 괴물로 변신하는
애완동물이 생겨서
거절했을 게 뻔하지만.
*『어메이징 스파이더맨: 프레시 스타트』 Vol. 1 참조.(옮긴이)
아무튼, 피터 파커는 이런 연유로
완벽한 데이트를 짜 놓고도
유령의 집에 들어간 듯 혼자 음침하게
거리를 방황하고 있다, 이 말이다.
그러고 보니 요즘
계속 이런 느낌이 들었어.
SPRING FAIR
사람들 틈바구니에 서 있지만,
혼자 동떨어진 듯한 느낌.
MJ가 로스앤젤레스로 떠나고
난 뒤부터 계속 이래.
가끔은 저 너머 어딘가에서
나랑 MJ를 떨어뜨리려는
뭔가가 있는 게
아닐까 하는 생각이…
…든다니까.

조심해요!
뭐야…
오버드라이브잖아?!
탈것이라면 이것저것 가리지 않고
초고속 이동 수단으로 바꾸는
능력자 녀석이… 이렇게나 북적이는
도로를 **미친 듯이 내달려?!**
전혀 이럴 녀석이 아닌데.
전에 미스터 네거티브 밑에서 일할 때나,
부메랑 표 허접 시니스터 식스 멤버였을 때,
나랑 몇 번 마주친 적 있어서 잘 알아.
항상 돈만 좇는 삼류 빌런이었는데—
—아냐, 다른 데서도…
다른 데서도 본 적이 있어….
꿈에서…
꿈에 나온 사람이…
이 녀석이었어!
고, 고마워요!
파커,
울적한 기분은
그만 내려놔….

…사람들이
위험에 빠졌으니까!
야시장이 한창인데,
그 사이를 최고 속도로
달리다니.
거기다 골목 자체가
너무 좁아서 사람들이
피하기도 어려워.
PEPE'S BAR
BURRI
JOE'S
전속력으로 날아가서,
누구 하나 다치기 전에…
HOTEL
…뭐 하는 짓인지
물어봐야지.
실례합니다,
선생님. 지금 얼마나
빠른지 아세요?

살았다!
스파이더맨이야!
어라? 일반적인
반응이 아닌데.
일단 넘어가자!
그래, 나야. 근데 일단 차 좀
세울까? 뭘 훔쳤는지 모르겠지만
지금 반품해도 늦지 않았어.
보통 환불 기간은 30일이니까,
시간은 충분—
아무것도 안 훔쳤어!
아니, 훔치긴 했는데—
그래서 그런가— 아냐,
아무 상관 없어!
멈추면 안 돼!
그놈이 계속
쫓아온다고!
뭐 때문인지 겁에
질렸네. 일단 써먹자.
오버드라이브,
내 말부터 들어. 누가
쫓아오는 거면 내가 도와줄게.
일단 사람이 없는 데로
가자!
그러고 싶어!
근데
멈출 수 없어.
느려지면
안 돼.
그러면…
…그놈이
바로 따라와.
도대체 뭐가 쫓아오길래
이러지? 누군지 몰라도 아주
무시무시한 녀석인가 본데—

제발
그놈만은 안 돼
AGLES
ALL-STAR
DIAMOND SALE
제발 그놈만은
415B
ALL-STAR
CLOSE-OUT
SALE
SALE
ALL-STAR
벌써 3일째야…. 3일째 날 따라 다니고 있어….
아무리 발버둥 쳐도 소용없어. 더 빨리 달릴 수도 없어. 다 끝났다고….
…이젠 날 앞질렀으니까!
HOTDOGS
BEER

BLAM
CHOOM

바로 앞에
아이들이—
빠르게…
…움직이자.
완벽하진
않아도…
PAPAS
PIZZA
GYRO
GYRO
…잘 구했어.
그럼 이제—
KA-
CHOOM!

이 장면,
본 적 있어.
꿈에서 본
그 광경이야.

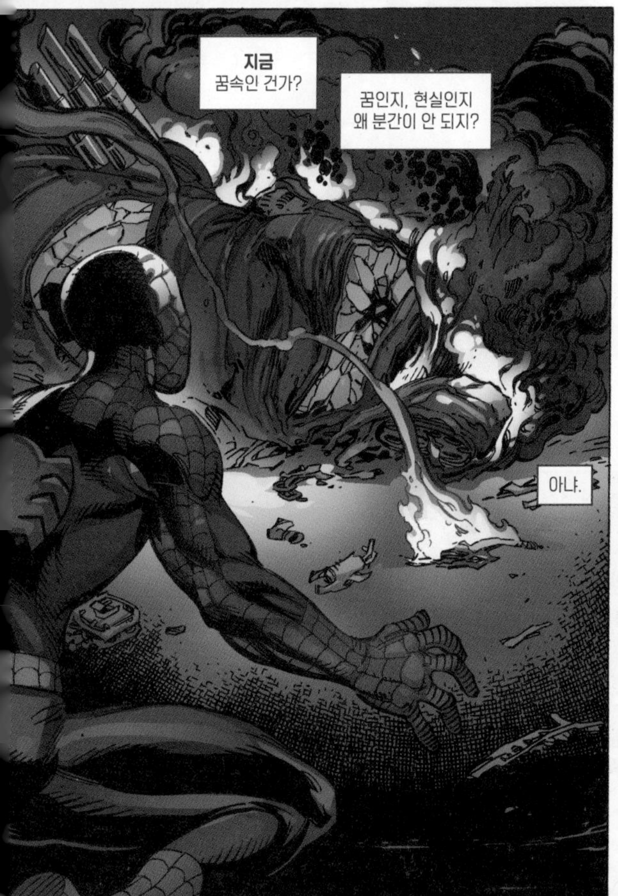
지금
꿈속인 건가?
꿈인지, 현실인지
왜 분간이 안 되지?
아냐.

일어나.
정신 차려.

꿈이 아니라고.

내 탓이야….
전부 다 내 탓이야….
끄으응—
조금만 참아.
내가 있잖아.
난 이렇게
돼도 싸.
양손 웹슈터가
다 폭발 때문에
먹통이 됐네.
쉽지 않겠어.
일단 안전한 곳으로 가자.
더 다치는 사람이
나오지 않도록
멀리 떨어져야 해.
몸을 숨길 장소도
있어야 하고.
날 도와주면
안 될 텐데…
끄응—
감사 인사는 접어 둬.
반대 입장이었으면
너 혼자 도망쳤을 거
다 아니까.
근데 이게 도와주는 게
맞는 건가? 잘한다, 스파이디.
연쇄 살인마한테 쫓길 때는…
…당연히 깜깜하고 버려진
공사장이 제일 안전하지요.
암, 그렇고말고.
MJ가 공포 영화를 얼마나
많이 보여 줬는데, 어째 난
배운 게 하나도 없을까?

난 나쁜 놈
될 생각 없었어.
추호도 없었다고….
오히려
너 같은 사람이
되고 싶었지….
그래? 근데
내 평판이 좀
'오버'됐다는 건
알아 둬.

숨어 봤자 의미가
없을 거야. 절대
피할 수 없는 놈이니까
직접 맞서는 수밖에 없어.
그냥 돈이
필요했을 뿐이야….

여기 꼼짝 말고
있어. 알았지?
어디 가지 말고
잘 숨어.
스파이디,
제발 내 말
믿어 줘….

누굴
해칠 생각은
전혀 없었어.
아이고,
오버드라이브…

도대체 무슨
사고를 쳤길래
이러는 거야?
그놈 당장 넘겨,
스파이더맨.

바로 앞에 있는데도
제발 아니길 바라는
마음뿐이다.
죽음의 문턱 너머로 사라진
수많은 악당 중에서도
제발 이 녀석만은 다시
나타나지 않길 바랐는데.

신 이터.
진 드울프와 두 명의 무고한 피해자를 살해한 사이코패스 복면 살인마.
신 이터의 정체는 스탠리 카터로, 나를 포함해 모든 사람이 감쪽같이 속았다.
이 녀석이 날뛰는 바람에 내 친구 베티 브랜트가 휘말려 죽을 뻔했고…
…난 분노에 차 신 이터를 죽기 직전까지 몰아붙였다. 그리고 절대 넘지 말아야 할 선을 넘기 직전에…
다행히 데어데블이 나타나 날 막아 세웠다.

그런 일이
또 일어나서는 안 돼.
냉정함을 잃지 말자.
진짜 스탠 카터
맞겠지?
경찰 배지가
잘 보이는 걸 보면.
아아,
이거?
다른
사람 거야.
NEW YORK
DEWOLFF
NY
*뉴욕 시경, 드울프.
이건
못 참겠다.

내가 죽음에 익숙하지 않다는 건
누구나 아는 사실이야.
늘 보는 게
살인마지만, 그중엔…
…내가 사랑하는 이를
앗아간 녀석도 있거든.
그런 놈들과 싸울 때면
뭔가를 억눌러야 해.
넘지 말아야 할
선을 지키기 위해
몸부림치면서.
정의를 위해 싸우는 거지,
복수를 위해 싸우는 게
아니잖아?
하지만 이 녀석은 달라. 표적만 죽일 수 있다면 누가 피해를 보든
신경도 안 쓰기 때문에 도저히 화를 참을 수 없어.
왠지 몰라도
그렇게 끓어오른 분노는
가라앉히기도 힘들어.
이성을 잃고 말아.
그리고 이성을 잃은 난…
때, 때리지 마세요,
스파이더맨….
누굴 해칠 생각은
없었어요.
…다른 사람을
해치게 되지.
사실 신 이터 이야기엔
기억 저편으로 잊고 싶은…
가려진 일화가 있다.

스탠은 정신 병동에
갇혔다가 완치 판정을
받고 퇴원했다.
의료진은 스탠이
더는 위협적인 존재가
아니라 했지만…
난 그 말을 믿지 않았다.
화를 누그러뜨리지 못해
스탠을 찾아가 시비를 걸었지.
결과는
좋지 못했다.
얼마 지나지 않아
스탠이… 목숨을
끊어 버렸거든….
자기한테 총을 쏘게끔 일부러
경찰을 도발해서. 하지만 내게도 어느 정도
책임이 있다는 생각을 떨칠 수 없었다.
머릿속 깊숙이
묻어 놓고 싶던 그 기억이
지금 내 눈앞에 나타나
고함을 지르며…

멍청한 새끼.
날 붙잡고
늘어진다.

크윽…
스탠, 미안했어….
나 때문에 실망한 거 알아….
지금 걱정할 건 스탠이 아닐 텐데. 그리고 그딴 사과는 필요 없어.
오히려 고맙거든.
이 망할 세상은 날 보고 미쳤다고, 정신이 나갔다고 했었지. 근데 지옥 불에서 구르고 나니 진정한 나 자신이 누군지 알게 됐어.
난 진짜 신 이터였던 거야. 방황하는 영혼과 구제받지 못한 자들을 거두려 이 세상에 내려 보내졌으니…
…그 모두를 정화해야 해.
스탠, 이 불쌍하고 멍청한 녀석 같으니…. 어떻게 살아난 건진 모르겠지만, 전혀 변하지 않았어. 내 예상 그대로라니, 짜증 나네.
너 따위 놈한테 사명 같은 건 없어.
넌 그냥 살인마일 뿐이야!
KA-THUD
HOGGWURTS ELECTRCA

네 눈에는 그렇게밖에 안 보이겠지. 난 내게 주어진 사명만 따를 뿐이야! 언제나 그랬어! 그런데도 네놈은 아직도 날 **경찰 살인마인** 스탠리라고 부르는군.
거기다 악독하기 짝이 없는 죄를 저지른 저 오버드라이브를 감싸고돌다니!

크으으윽— 그게 무슨 소리야?
저놈한테 직접 물어봐!

누가 경찰을 아홉 명이나 죽였는지, 부모 잃은 아이들의 심정은 아는지 한번 물어보라고!

잠깐만… 뉴스에서 난리였던 그 얘긴가? 로어 이스트사이드에서 경찰이 학살당했다던 그 사건?
물증이 전혀 없었다곤 하지만… 말도 안 돼….
어이, 카터… 오버드라이브가 무슨 사고를 쳤든 이미 손 뗐어. 배심원단이 알아서 판단할 거야.
흥. 멍청한 소리 지껄이긴.
저런 겁쟁이 놈이 정의의 심판을 받을 리가 있나. 일말의 반성조차 하지 않을걸.

그저 도망치기만
할 뿐.
안 돼!
BLAM

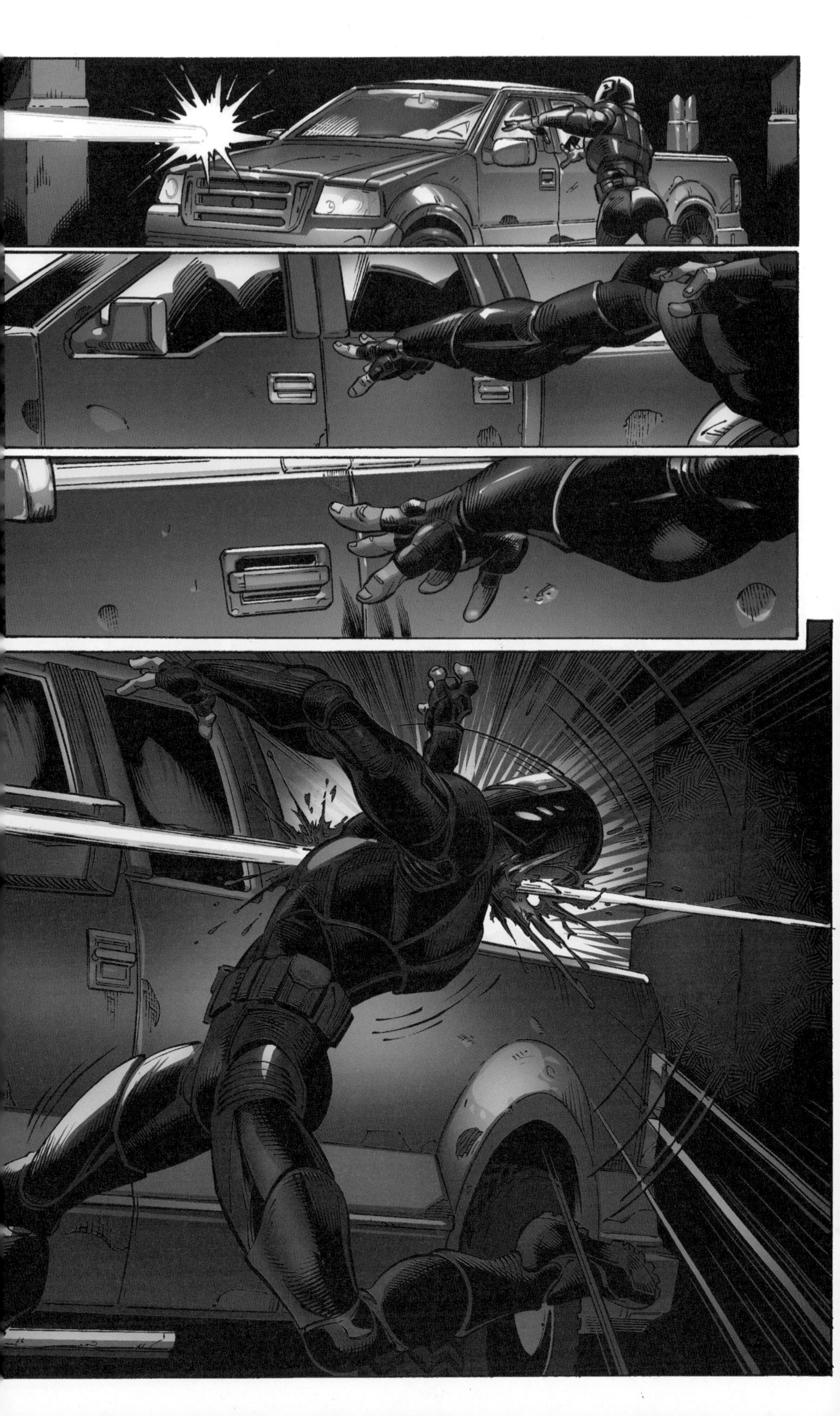

안돼!

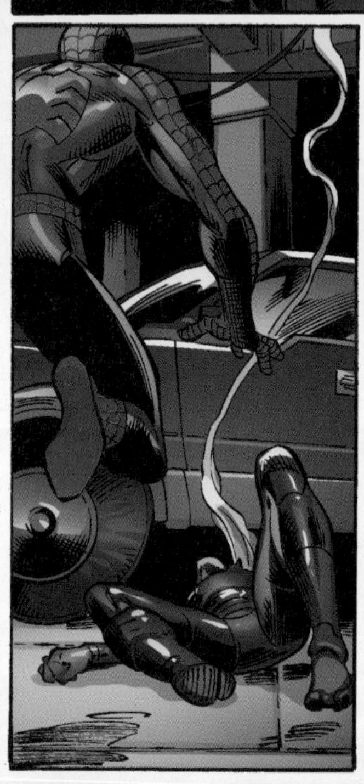

어이, 야… 괜찮아, 조금만 버텨—
내 말이 맞았지? 이제 내 말 믿지?

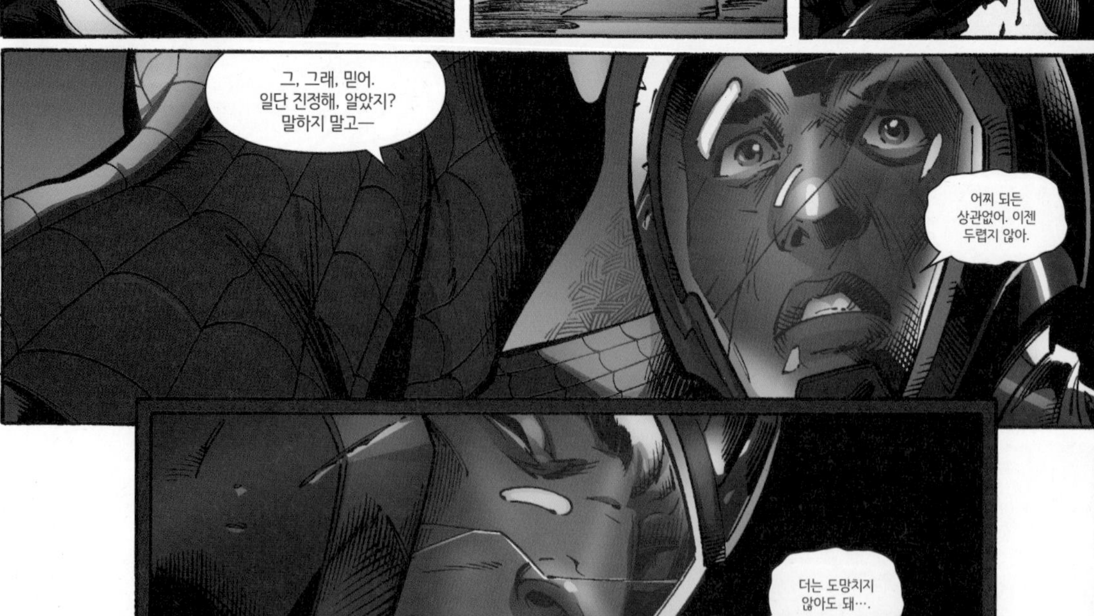
그, 그래, 믿어. 일단 진정해, 알았지? 말하지 말고—
어찌 되든 상관없어. 이젠 두렵지 않아.
더는 도망치지 않아도 돼….

잘 봤나? 이놈은 겁이 많다는 죄를 저질렀어.
그런 죄를 짊어진 녀석을 내가 마지막 순간에 자유롭게 풀어 줬지.
무슨 짓을 했든 이렇게 죽일 순 없어.
아직도 이해를 못 했나 본데, 난 인정을 베풀었어.
죄에 속박된 영혼을 풀어 줬다고.
그 죄를 내 몸으로 받아들이면서!
그렇군.

그럼 이번엔
내가 인정을 베풀
차례겠네.

아니, 네 죄는 내 몫이
아니야.
날 부르신 분…
그분께서…
널 위해
준비하고 계시다.

난 길을 트러
왔을 뿐.
조만간
또 만나자고,
스파이더맨.

아직 끝나지
않았어.

"아직 끝나지 않았어."
그 말이 머릿속을 스멀스멀 기어 다닌다.
카터가 뭘 노리는지, 다음엔 어디서 나타날지는 모른다. 하지만 하나는 분명하다.
골치 아픈 일은 이제부터가 시작이라는 것.
그만 허우적거리고 정신 바짝 차리자.
모든 일의 배후에 어떤 존재가 도사리고 있다는…
…끔찍한 예감을 떨칠 수가 없어.
쓸데없는 걱정은 일단 내려놓자, 스파이디.
신 이터가 돌아왔잖아. 그 말은 곧…

…죽음이
뒤따른다는 뜻이야.
사망자는…
제임스 베벌리,
흑인 남성, 미국 국적,
32세. 사인은
흉부 총상.
특이 사항은…
상처가…
사라졌다.
이걸 어떻게
설명해야 할지…
처음 시신이 들어왔을 때
분명 직접 확인까지
했는데….

까아아아악!

어, 어떻게
된 거지?!

신즈 라이징 2부

재생 에너지 포지엄 때였습니다.
우리 대학교에서 치한 행사 중 가장 가 컸어요. 500명이 참가했죠. 그렇게 많은 사람이 모인 이유는…
트 코너스 박사, 파이어스테이트 대학 교수.
"카탈리스트 였습니다."
"카탈리스트는 페가수스 프로젝트가 주도해 개발한 기술입니다. 재생 에너지 분야에서 원전 기술 이래 가장 발전 가능성이 크다는 평가를 받고 있죠."
이제 간단히 시연해 보겠습니다—
신사 숙녀 여러분, 시연이야 당연히 해야겠지?
…근데 간단하게 끝나진 않을 거야.
저 장치로 뭘 할 수 있는지 전부 다 보게 될 테니까.
자, 가서…
내게 저 신성한 것을 바쳐라!

정말
아름다워….
오랫동안
필멸을 면하기 위해
뱀파이어 같이
연명할 수밖에
없었지만…
이것만 있으면…
그럴 필요조차
없겠지.
나중에 찾아보니까…
무슨 리썰 리전인가,
그런 단체더라고요?
앤지 바에즈,
재학생.
"맞아요."
"그때 난 네 동이나
떨어져 있었지만,
경보음을 듣자마자
달려갔어."
조금만 더
일찍 도착했다면….

지금 무슨 생각하는지 다 알아.
'그냥 살인광 슈퍼빌런인데, 평소랑 다를 게 있나?'겠지.
그렇게 무서운 건 살면서 처음 봤어요.
앨버트 숀필드 박사, 연구원.
근데 막 싸우려던 찰나에 보니, 뭔가 잘못됐더라고. 뭔가…
"이상했달까."
ZZZZZZZZZZZZPPPP
"내 움직임이 딴 데 신경이 팔린 것처럼… 굼뜨고 산만했어."
"왜 그런지 모르면 참 좋겠지만, 답은 뻔했지."

"마음이
딴 데 가 있었거든."
"오버드라이브가
죽은 차고에 말이야.
신 이터가 사라질 때
한 말을 곱씹으면서."
POLICE DO NOT CROSS
"아직
끝나지 않았어."
움직이지 마!
우왓!
으악!
"알 수 있었어.
온몸으로
느낄 수 있었어."
"그놈이
오고 있는 게
아니라…"
으아아아악!
사격 중지!

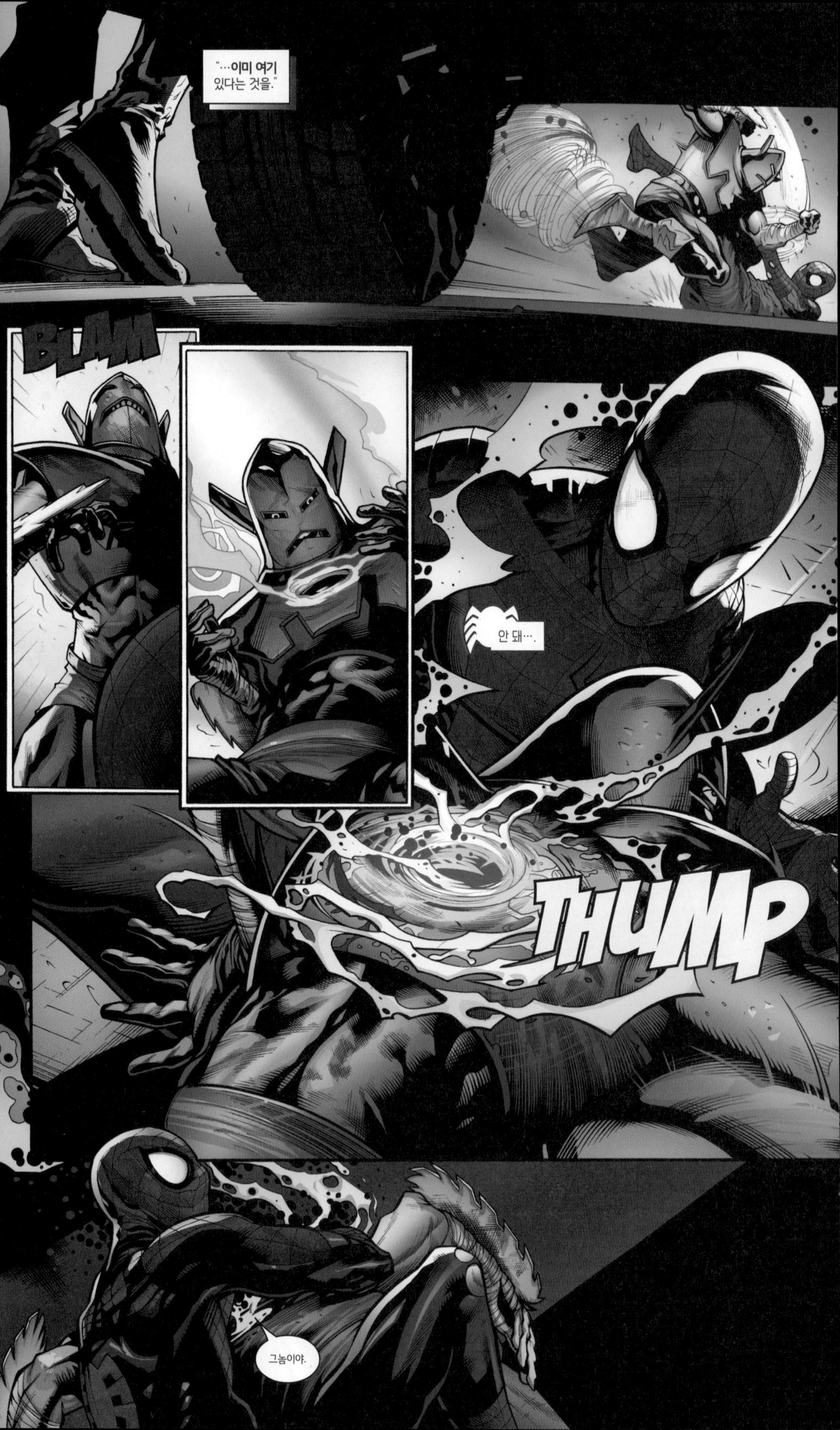
"…이미 여기 있다는 것을."
BLAM
안 돼….
THUMP
그놈이야.

"그 순간,
날 수 없단 걸
깨달았지."
"그놈은 영원히 날 따라다니며,
내가 누군가를 구하거나
무언가를 막을 때마다
항상 그 자리에 나타나…"
"생명을
앗아 가고…"
"…정신 나간 사명을
들이댈 거란 걸."
"내가 저지른 일을 들먹이며
날 괴롭힐 거란 걸."
BLAM
안돼!
FWHAP
"자기는 정화하는 것
뿐이라고 하더라."
"내 눈엔 그냥
죽여 버리는 거로밖에
안 보였지만. 입 하나는
청산유수인 놈이지."
"근데 죽이기만 하는 게
아니었어. 그냥 죄만 대신
받아가는 게 아니라…"

"…죽인 사람의 **능력까지** 흡수했던 거야."
끝까지…
…지켜봐라.
"무기력. 너무나 오랫동안 잊고 있던 감정이었지."
"온몸이 굳어서 아무것도 할 수 없었어."
BLAM
"신 이터가 사람들을 학살하는데도…."
안 돼, 안 돼—

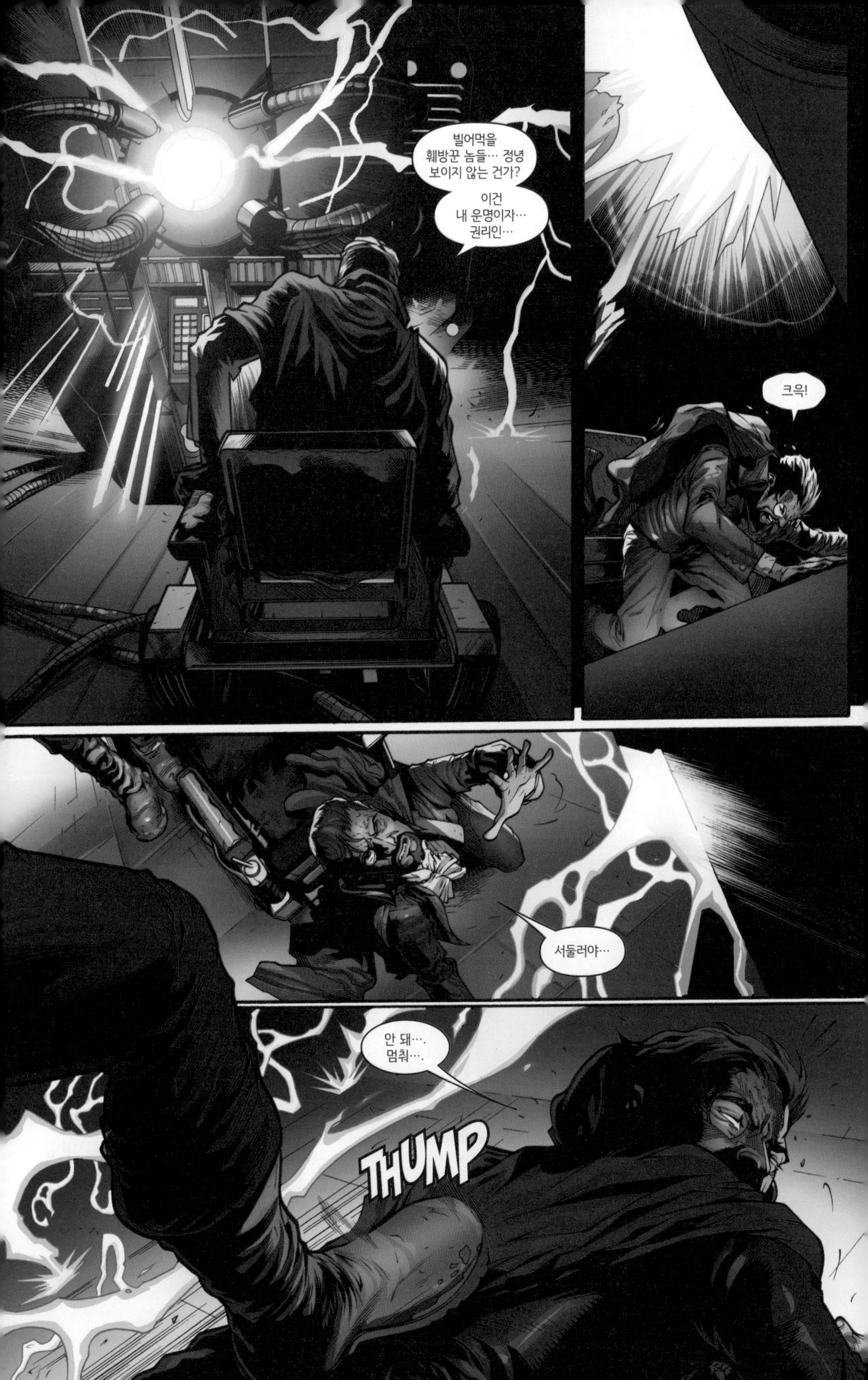
빌어먹을
훼방꾼 놈들… 정녕
보이지 않는 건가?
이건
내 운명이자…
권리인…
크윽!
서둘러야…
안 돼….
멈춰….
THUMP

뭐… 뭐 하는 놈이냐?
뭐 하는 놈이냐고?!
어떤 자식이길래— 망할 새끼가! 난 루키노 네파리아 백작이다! 당장…
…당장 내, 내, 내게 보, 복종…
…크으으윽….

"끔찍하고, 잔혹했어. 살면서 그런 건 많이 봤다고 생각했는데, 격이 달랐어."
"그 와중에 빠져나가지 못하고 그 장면을 처음부터 끝까지 보고 있던 시민들도 있었는데…"
BLAM
"비명을 지르며 출구로 우르르 달려가는 소리가 곧 들리겠거니 했지."
그런데….
짝
짝
짝
짝
짝
짝
짝
짝
이야!
짝
짝
우와!
짝
짝
짝
짝
짝
짝
짝
짝

이제
잘 알겠지?
네 방식은 이제
안 먹혀. 사람들은 더 나은
방법을 원하거든.
더 본질적인
방식을.
CRRRKKKK
조만간 다들
내 선물을 받을
준비가 될 거야.
FWOOSH
KRSSSH

얘는 로니 매사이어스이에요. 저랑 제일 친한 친구였는데, 과학을 참 좋아했었죠.
로니를 따라 심포지엄에 갔다가, 빌런들이 들이닥쳤어요. 그리고 로니는 절 지키려다 손에 전기톱이 달린 빌런한테….
그런데도 저한테 왜 박수쳤냐는 질문이 나와요?
새라 크롤리, 바텐더.
반성해야 할까요? 글쎄요. 몇 년 전이라면 그랬을지도 모르겠는데…
요즘 세상은 너무 흉흉해서.
POL
댄 웨스트메이어, 대학 행정 관계자.
완전 대박이었어요. 퍼니셔 같은 사람 맞죠?
퍼니셔는 일반인이잖아요. 근데 이 사람은 뭘 좀 제대로 할 수 있더라고요.
존 포터, 재학생.
생각나더라. 사실 어느 정도 이해는 돼. 도 가끔은 화를 내는 편이 더 낫다는 거 잘 알아. 죽는… 꼴 보고 싶은 놈이 있기도 하고.
근데 사람이 잔인하게 살해당하는데, 잘한다고 박수를 치는 게 말이 돼?
우리 둘 다 이게 그리 단순한 일이 아니란 거 알잖아.

응급 구조사로
17년 일하면서 이상한 건
많이 봤어요.
살면서 본 시체만 해도
셀 수 없는데, 당연히 딱 보면
죽었는지 아닌지 알죠.
허브 로드리게스,
응급 구조사.
"산탄총을 직격으로 맞아서 틀림없이
다 죽은 상태였어요. 그 네팔인지 뭔지 하는
인간은 머리가 반밖에 없더군요."
"안에 있는 기계가 잠잠해질 때까지
잠깐 기다렸다가 들어가니 시체가 보였어요.
상태를 보려고 가까이 가니까…"
"…시체가 벌떡
일어났습니다."

근데 뭐, 그런 녀석들은
우리랑 전혀 다른 세상에
살지 않습니까? 죽었다
살아났다, 밥 먹듯이
하잖아요.
그건
이해된단 말이죠.
그런데 이상한 건
그다음이에요.
제, 제발
알려 줘요! 사람들은
무사합니까?
"사람들은
무사합니까?"
한 시간 전만 해도
냉혈한 살인마였는데
되살아나니 강아지처
순해졌더라고요?
이런 얘기 들어
봤어요?
아뇨…
저도
처음이네요.

솔직히 말씀드리겠습니다, 노라 씨. 여기로 빼 오느라 정말 애먹었어요. 저도 래프트나 블랙 사이트로 가야 한다고 봤으니까요.
근데 웬걸, 모범 환자 판정을 받고 나서부터는 쭉 저렇게…
…얌전하네요.
죄송하지만, 여긴 레이븐크로프트잖아요. 모범 환자라고 해 봐야 일주일에 병원 직원 세 명쯤 죽이는 수준 아닌가요?
이븐크로프트.
직접 보세요.
"온종일 자기들끼리 기종기 모여서 조용히 시간을 보내다가…"
"…조용히 일어나서 다른 환자들을 돕거나, 청소를 하는 등 착한 행동을 하더군요."
"주먹질은커녕 큰 목소리도 안 냅니다. 예전에 들어왔을 때랑은 딴판이에요."
"거기다 휠윈드는 묵은 빚이 있는 환자들한테 두들겨 맞아서 병동에 실려 갔어요. 방어조차 하지 않았죠."
"그 성깔에 좀 이상하지 않나요?"
직접 얘기를 해 봐야겠네요.
절대 안 됩니다. 치료 중인 환자들이라고요. 저희 시설만의 규칙이 있으니—
안 될 거 없지.

여기서
밥 먹듯이 어기는 게
규칙이라는 거,
잘 알잖나?
노먼 오스본….
아직도 믿을 수가 없네요.
일주일 전만 해도 저 깊숙한
보호 병동에 있지 않았던가요?
근데…
노라 윈터스.
환자가 병동을
마음대로 돌아다녀도 아무런
조치가 없네요.
배배 꼬인 농담이야
이미 여러 번 들었지. 윈터스 양은
좀 다를 줄 알았는데. 아무튼,
알다시피 난 정신 검사 결과, 정상
판정을 받아서 퇴원한 거야.
그리고 피스크 시장이…
내가 이 시설에 퍼진 무질서나
무능함을 쓸어낼 적임자라면서
내 전문성을 인정해 줬지.
너무 삐딱하게 굴지 마, 노라. 안 그래도
언론 쪽이랑 관계를 좀 개선할 생각이거든.
있는 그대로 보여 주는 게
제일 좋지 않겠어?
네?
그 말은—
그래,
인터뷰를 허가한다고.
하지만 주의할 게
하나 있어.

마 신 이터에 집중해서 기사를 쓰고 싶겠지? 자의 영혼에 비현실적인 향을 끼쳤다느니 뭐니 하면서 말이야.
근데 분명히 말해 두지. 여긴 치료 시설이고, 난 미신 같은 거 안 믿어. 저 환자들이 개선된 건 순전히 레이븐크로프트의 훌륭한 의료진과 리더십 덕분이야.
자네 기사에서도 그 점을 정확히 다뤄 줬으면 좋겠어, 윈터스 양. 그렇지 않으면…
…나랑 단독 면담을 할 수도 있을 테니까.
뭐, 당장은 우리 시설을 마음껏 둘러봐도 좋아.
여기 훌륭한 보안 요원들이 한시도 빠짐없이 딱 달라붙어서 잘 안내해 줄 거야. 그럼 수고해.
정말 괜찮다고 생각하십니까?
알겠습니다만… 기자를 내부에 들인다는 게 좀 걱정이 되네요….
자네 생각 따윈 물어본 적 없어. 하라는 대로 하기나 해.
"…최근 들어온 환자를 고려하면요."

지, 질문이 뭐였죠?
네파리아 백작
네파리아, 똑같은 질문만 벌써 **세 번째예요.**
죄, 죄송합니다. 의사 선생님들이 청각 쪽에 이상이 생겼다고 하시더라고요….
신 이터가 얼굴에 총을 쏴서 그렇겠죠? 말이 나와서 하는 말인데, 딱히 화나진 않으신가 봐요?
화, 화라뇨? 제가 왜요?
절 구원해 줬는걸요.
전 악독하고 난폭한 멍청이였어요. 불멸 타령을 하며 감히 신의 자리를 넘봤죠. 허영심에 빠져 사람을 죽이고 다녔고요.
그런데 그런 저를 자유롭게 풀어 주고, 제 죄를 대신 가져가 줬으니 얼마나 감사한 일입니까?
그러지 않았다면 제가 얼마나 많은 사람을 더 다치게 했겠어요?
흠, 그날만 해도 장난 아니었죠. 경찰 말로는 열아홉 명이 죽었다던데.
본론으로 돌아가죠. 피해자 유족들에게 당신이 뱉은 말은 당연하면서도 아무 의미 없는 말처럼 들릴 텐데요.
수많은 범죄자가 반성했다는 둥, 달라졌다는 둥의 말을 하며 간절히 석방을 요청하죠. 마법 총알을 맞았다고 해서, 당신이 하는 말이 다른 범죄자가 하는 말이랑 다를 게 있을까요?
저, 전혀 이해를 못 하시는군요….

전 석방되고 싶지 않아요.
그, 그럴 자격도 없고… 이것보다 더 고통받아야 해요.
머릿속이 엉망진창이에요. 나쁜 짓을 많이 했단 건 아는데, 왜 그랬는지를 모르겠어요.
지나간 일을 돌이키면 머릿속에서 또 다른 저 자신이 "멈춰! 그만둬, 멍청아!"라고 소리치는 것 같다고요.
하지만 그게 다가 아니에요. 더 큰 비명이 들려요. 제가 죽인 사람들이 내질렀던 비명과 애원… 살려 달라며, 자비를 베풀어 달라며… 울부짖는 소리가요.
눈을 감을 때마다 비명이 멈추질 않아서 온몸이 찢어지는 것 같아요….
왜 하필 저죠?!
그 사람들이 아니라 내가 자비의 손길을 받은 거야?!
유, 유족한테 전해 주세요…. 같은 입장이 될 수 있다면 무슨 짓이라도 하겠다고요.
부탁할게요. 꼭 말해 주세요.
죄송하다는 말을 전해 달라고요!

모든 점이…
더듬거리며 뱉는 말
한마디, 한마디가…
"…스탠이
병원에서 퇴원했을 때랑
똑같았어."
"그건 다…"
KRUNCH
함정이야. 우릴 갖고 노는 거지.
근데 도대체 뭘 노리고 그러는 건지
전혀 모르겠어.
그때도 스탠이
다 나았다는 말을
못 믿었는데, 이제 와서
믿으라는 건가?
다른 사람들은 당연히
믿겠지.
스탠이 리썰 리전을
쓸어버리는 장면이
영상으로 퍼져서 난리 났어.
조회 수며, 좋아요 수며
수백만이 넘어.
다들 그러더라.
"뭐가 문젠데? 신 이터가
죽인 사람은 없잖아?"라고.
사람들 눈에는 신 이터가
슈퍼빌런을 '정화'한 것처럼
보이는 거야!
전혀
문제 될 거 없지.
안 그래?

여기
오버드라이브만
빼면 말이야.
초능력도 잃고, 맛이 살짝
가긴 했지만… 리썰 리전 녀석들은 전부 다
완벽하게 되살아났는데… 어째서?
말이 안 되잖아.
오버드라이브만
뭔가 달라. 부활한 건지,
뭔지 몰라도 이 녀석만
생명 유지 장치를
달고 있어.
칼리, 이 녀석이
깨어났을 때 옆에 있었지?
무슨 일이 있던 건지
알려 줘….
부탁할게….

"…누군가
또 다치기 전에
알아내야 해."
네, 조나,
저 괜찮아요.
걱정은 감사한데,
믿든 안 믿든 저도
프로라고요. 노먼
오스본 정도야 알아서
할 수 있어요.
지금 사무실로
돌아갈 건데, 무슨 얘길
들었는지 알면 절대
못 믿으실걸요.
그중에서도 인터뷰
마지막 부분이…
…압권이었어요.
BLIP!
노라
윈터스….
BLAM

신즈 라이징 3부

"나도 여러분처럼
두려워했다."
레이븐크로프트.
"내 주변 세상
모든 것을 말이야.
근데 그것보다
더 무서웠던 건…"
"바로 내 마음속에
있었지."
"에덴동산에서 추방된 후부터
인간을 이끌어 온 건 수치심과
단죄의 두려움이라고, 분수에 맞게
살아야 한다고들 가르치지만…"
"그건 다 우리
머리 위에 앉으려고
하는 말이야."
"난 평생을 그 말에
조아리면서 살았어. 기쁜 마음으로
떠받들려고 애썼지."
"삶의 법칙으로
받아들이는 걸 넘어서
열렬히 숭배했어.
누가 시킨 것도 아닌데
몸종을 자처하면서."
"그런 내게
어떤 포상이
주어졌는지 알아?"
"날
집어삼키더군."
그분이
오신다.

하지만 난
불구덩이 속에서 구원받았지.
나보다 훨씬 위대하신 분께서
내게 임무를 내리셨다.
세상에 퍼진
죄악을 정화하라는
임무를.
그래서 난
이렇게 다시 일어나
그분이 주신 일을
행하고 있다.
하지만 세상은
그 어느 때보다 타락하고
오염됐어. 구제할 가치가 없다고
말하는 이들도 있지. 과업을
이루기 위해선 여러분의
도움이 필요하다.
날 도우면
평생 박탈당했던 것을
돌려주지….
'힘'을.
CLICK
난 잘 모르겠다,
윈터스.
신 이터가 처음
나타났을 때부터 봤는데,
아주 위험한 놈이야.
이건 또 어떻게 찍었어?
별거
아니었어요…
노라
윈터스….
꺄아아아악!
BLAM!
정의협과 공포 사무실.

"그냥
총으로 쐈죠."
크윽…
WHOOSH
진정해, 윈터스 씨…. 당신 죄가 크긴 하지만 오늘은 다른 일로 찾아온 거니까.
뭐, 원하는 게 뭐죠?
뻔하지 않나?
뉴욕을 들쑤시면서 내 얘기를 캐고 다니던데…
본인한테 직접 듣는 게 어때?
이, 인터뷰하고 싶다는 건가요…?
사람들한테 전할 말이 있다.
내 말을 널리 퍼뜨려 주면 돼.
어떻게 거절하겠어요?

윈터스,
이런 걸 내보낼 순 없어.
이놈은 **살인마야!** 형사를
죽인 놈이라고!
그래서
정신 병원에 갇혔잖아요.
다 치료받고 퇴원했고요.
끝난 일이에요.
그래도 이놈은 지금…
폭력이 옳다고 선동하고 있어!
이딴 녀석한테 마이크를
넘기면 안 돼.
하아 조나?
이래서 미디어 신뢰도가
뚝 떨어진 거예요. 문지기를
자처하면서 발언권을
쥐고 흔드니까요.
그런 건 대중이 결정하게 해요.
우리 같은 사이트는 새로운
광장 역할이나 맡고요.
흐음. 광장에선
공개 처형식이
열리곤 했는데.
맞아요.
공개 처형식이 열리면…
CLICK
…사람이 바글바글
모여들죠.
여러분의
존재를 안다.

내 말을
듣고 있다는 것도
안다.
여러분도
나와 같은 역겨움과
부패를 보고 있겠지.
그렇다면
동참해라.
다 함께 우리
마음속에서 자라는
악에 맞서자.
이 세상에서
사라진 찬란함을
되찾자.
우릴 가르치려 드는
녀석들. 힘깨나 있다고
우릴 내려다보는 놈들.
그 모두를 정화한다.
약한 자, 비겁한 자,
굴복한 자. 이들도 똑같이
정화될 것이다.
분노는 정당하다.
속죄의 화염으로 모든 걸
불사르자.
그리고
잿더미 위에
더 나은 세상을
세우자.
5 Av Subway Station

물론 손탄하지만은 않겠지.
마스크를 쓴다는 건 세상의 죄를 짊어지겠다는 뜻이다.
하나 그 짐을 홀로 지지는 않는다.
한 걸음조차 빠지지 않고 내가 함께 걷는다.
홀로 외로이 잊힌 채 살아왔다면 이제부터는…
…여러분의 시간이다.
다 함께 의지를 실현하자. 다 함께…
…죄악 없는 세상을 세우자.
힘을 주겠대.
그리고 다는 아니겠지만, 그 말을 듣는 사람이 있어.

이 사이코가 무슨 흉계를 꾸미는지 전혀 모르겠지만, 계획대로 흘러가는 건 분명해.
사람들이 속을 리 없어. 신 이터가 어떤 놈인지 보여만 주면 돼.
맥카시 의료 센터
그놈이 오버드라이브한테 어떻게 했는지 보여 주면 될 텐데.
다른 녀석들처럼 '정화'했다는데, 지금 상태는….
회복될 거란 말이라도 들어서 다행이네.
칼리, 기묘한 상황 같겠지…. 우리 사이가 깔끔하게 정리되지 않기도 했고…. 전화하려 하긴 했어.
그렇지만 아주 조그만 단서라도 아는 게 있다면 제발 알려 줘—
피트, 진정해.
나도 돕고 싶어. 진심이야.
무슨 일이 있었는지 말해 줄게.
"하지만 들어도 전혀 기운 나지 않을 거야."
"처음엔 너도 알다시피 차가운 시체 상태였어. 근데 갑자기…"
"벌떡 일어났어."
"거짓말 안 보태고, 진짜 무서워 죽는 줄 알았다니까."
꺄아아아악!

"범죄자라는 건 이미 알아서,
날 공격하든가 도망칠 줄 알았어.
근데 그게 아니라…"
미안해요.
놀라게 하려던 건
아닌데….
도망칠 생각 없어요.
가만히 있을게요. 대신
저 좀 도와주세요.
뭘 도와요?
자, 자백할 게
있어요.
"…진술을 들었어."
전 그냥 운전만 하기로
했었어요. 눈 깜짝할 새
일어난 일이었고요.
"정말 양심의 가책을
느끼는 것처럼 보였어."
좋아,
그 정도면 됐어.
"거기서 뭘 어떻게
했겠어? 상관을 불렀지.
그리고 기다리는 동안…"
이제 우리한테
넘기도록.
하버, 구티에레스,
미란다 원칙 고지해.
쿠퍼, 자네는
따라오도록.
"그때 나타난 경찰은…"

"…나랑
아는 사이였어."
자네 부친도
이런 적 있던 거
아나?
정말요?!
정말로.
모르도 남작 알지?
그 인간이 무슨 주문을 외워서
죽은 사람이 잔뜩 되살아났었어.
그 친구가 점심 먹고
안치소로 돌아왔더니 사람이
꽉 차 있더래.
그리고
그중 한 명한테
자기 샌드위치 한 쪽을
줬다는 거야!
하하!
아,
자네 부친하고
참 즐거웠는데.
아직도
그 친구가 #$%& 같은
악당이었다는 걸
믿을 수가 없어.
네, 저도요….
근데 자네하고는 전혀
상관없잖아. 그렇지?
내가 항상
신경 써 줄 테니, 이번 건은
내가 시키는 대로만 해.
조용히만 있으면 아무
문제 없을 거야.
네?
시키는 대로만
하라니—
안 돼.

1분만 늦었어도
죽었을 거래. 애초에 멍청하게
자리를 뜨지만 않았어도 이런 일은
없었을 텐데.
오버드라이브랑
관련된 건 벌써 다
사망 선고 받은 거나
다름없어.
상부에 보고도
해 봤는데… 기소조차
안 한다더라.
그럼…
신 이터가
따로 뭘 한 게
아니라고?
이런 말 들으면 놀라겠지만,
누군가 나쁜 짓을 할 때
꼭 마스크를 쓰는 건 아니야.
아무튼, 아직 내 선에서
도울 수 있을걸.
우리 아빠가…
내 생각하고 다른
사람이란 게 들통났을 때,
정말 받아들이기
힘들었어.
언제나 우러러보고,
이 세상에 꼭 필요하신 분이라고
생각했는데… 알고 보니 그분을
전혀 몰랐던 거지.
그런 일을 겪고 나면,
사람 대하는 태도가 달라져.
행동에서 항상 이유를 찾고,
보이는 모습 그대로를
믿지 못하게 돼.
그리고 나도 모르는 사이
뉴스에 끔찍한 일이 나오면 사람들은
놀라면서, 누군가 나쁜 짓을 했단 걸
믿지 못하지만…
난 별 의심 없이
받아들여. 조금도
놀라지 않지.
나, 난
잘 모르겠네….
다른 사람들한테
신 이터가 나쁜 악당이란 걸
보여 주면 뭐가 바뀔 것 같지?
다들 카리스마에 속아서 평소랑은
전혀 다른 모습을 보인 거라고.
정신 차릴 수 있다고 말이야.
나도 진심으로 이해해.
인간이 이런 수준일 리 없겠지.
근데, 피트. 내가 정말 간단한
질문 하나만 할게….
인간 수준이
딱 이 정도라면
어떡할래?

유니언 스퀘어.
놀라지 말아야겠네.
제가
첫 번짼니까?
흥.
쭉 들어가서
뒤쪽으로 돌아가.
마스크 쓰고.
칼리 말이 맞아.
사람들이 세뇌당했다고
믿고 싶어. 신 이터가
이상한 주술로 사람들을
끌고 온 거라고.
하지만 진실은 불편한 법.
신 이터가 사람들에게 행동할 기회를…
다른 이를 해칠
기회를 주면…

…수많은 이들이
줄지어 동참하겠지.
어서 와라,
동지여.
안식처에 온 걸
환영한다.
작은 군단을
꾸렸네.
모두가 한 가지 목표와
신 이터에 충성하며…
…마스크 뒤에 숨었다.
하지만 숨어 있는 건…
그들뿐만이
아니다.
우와,
진짜 당신이군요….
이게 진짜라니.
이게 전부가
아니야.

난 힘을 주겠다고 했고, 그 약속을 지켰다. 하나, 그 힘은 내가 아니라…
…여러분 각자에게서 나온다.
여기 함께 모인 우릴 보면 세상은 모든 게 바뀌었다는 걸 알게 될 것이다.
하지만 목적 없는 힘은 아무것도 바꿀 수 없음을 반드시 명심하라.
우리에겐 사명이 있다. 우린 무엇을 위해 모였지?
죄악없는세상을위하여!
그렇다. 속죄하는 영혼이 늘어날 때마다 우리의 힘은 강해진다. 그리고 그 힘이—
제발요, 직접 봐야 해요. 부탁입니다….
사태가 최악으로 치닫는 와중에…
…뒤늦게 참가한 이가 나타났다.
이리 보내도록.

당신 능력에 대한 소문이 사실인가요?
무슨 소문을 들었지?
죄를 당신 몸으로 대신 받아 갈 수 있다더군요.
오랫동안 제 죄를 없애려 기를 썼습니다.
수많은 이를 다치게 하고, 죽게 했어요. 부탁입니다…
절 정화해 주세요.
다들 보았나? 우리의 외침이 통했다!
죄를 짊어진 병자들이 구원을 빌고 있어!
이단이여, 운이 좋구나. 내가 너에게 자비를…
베풀어 주마.
안 돼!

THUUK
KRRRRRRR
드디어 왔군.

형제자매여,
다들 잘 보도록!
우리 틈엔 언제나 이단이
있기 마련이다.
마음이 굳어
믿음을 거부하는
자들은…
…무엇을
보여 준다 한들
변치 않지.
무엇을
보여 준다 한들 네가
미친놈이란 것밖에 안 보여,
스탠. 넌 구세주가 아니라
살인마라고.
본인도 알면서
거짓말을 뱉는군.
난 아무도 죽인 적
없어. 죄를 대신
받았을 뿐.
그런 나를
방해하다니.
무슨 짓을
했는진 몰라도
절대 안 믿어. 여러분도
속지 마세요!
부탁드릴게요, 여러분. 이 '신 이터'라는 놈은…
미친 괴물일 뿐이에요.
무슨 달콤한 말을 하든
결국 비극으로 끝날 거예요.
아직도 이해를
못 했나?
이 사람들은
네 알량한 약속에 질려서
제 발로…
…내게 온 거야.
내 힘을 받으려고.
무슨 짓을 하든
절대 가만두지
않겠어!
어디
막아 보시든가.

그래…
OOOSSSSSHHH
…말은 항상 쉽단 말이지.
신 이터 하나라면
나 혼자서라도
제압할 수 있겠지만…
ZZZZAPP
리썰 리전을
'정화'하면서 힘을
흡수한 상태라면…
…아예 수준부터가
달라진다.
FWOOS
KRP
다들
잘 보도록.
여러분도
조만간 이보다
더한 힘을 손에
넣을 것이다.

한걸.
너무 빨라서…
FZZTHUD
…쉽게 막을 수가…
FZZTHUD
ZZZZLANT
KRAK
…없어.
THRAK
너무…
…압도적이야.
WOOOSH
TRAK!

네 문제점이 뭔지 알아, 스파이더맨?
자기가 우월한 줄 안다는 거야.
이 와중에도, 누구보다도.
핍박받는 저들에게 공포와 갈증이 느껴지지 않나? 당연히 느껴지겠지!
넌 도시 위를 활공하며 맨손으로 벽을 부술 수 있어. 커다란 특권이지.
내 눈엔 아주 부적절해 보여. 특권이 있으면서도 내 소명을, 나를 못 믿겠다 하다니.
넌 저들이 어떤 기분일지 몰라. 저들의 절망을…
…너도 느끼게 해 주마.
날 부르신 분께서 너를 위해 준비한 게 있어. 난 그저 그분께 선택받았을 뿐이고.
그분께서 뭘 정화해야 하는지 알려 주셨어.

"네 죄가
슨 일을 벌였는지
잘 보도록."
그분이 오신다!
THUD
KSSSH
KRAK

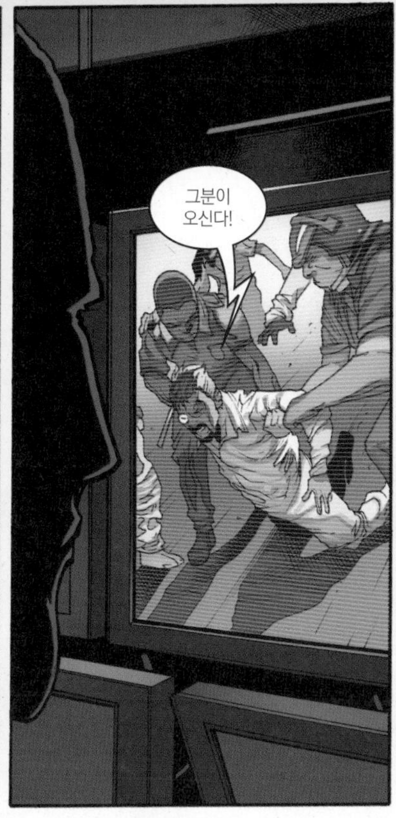
그분이
오신다!

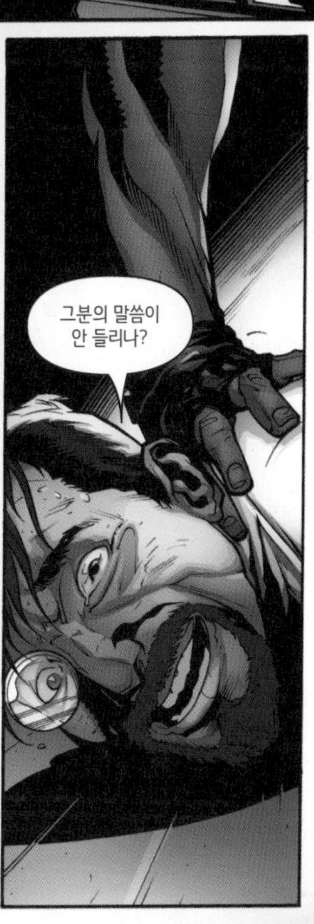
그분의 말씀이
안 들리나?

그분이
널 잡으러 오신다고,
노먼 오스본!

#44 MARVEL ZOMBIES VARIANT BY
TONY DANIEL & FRANK D'ARMATA

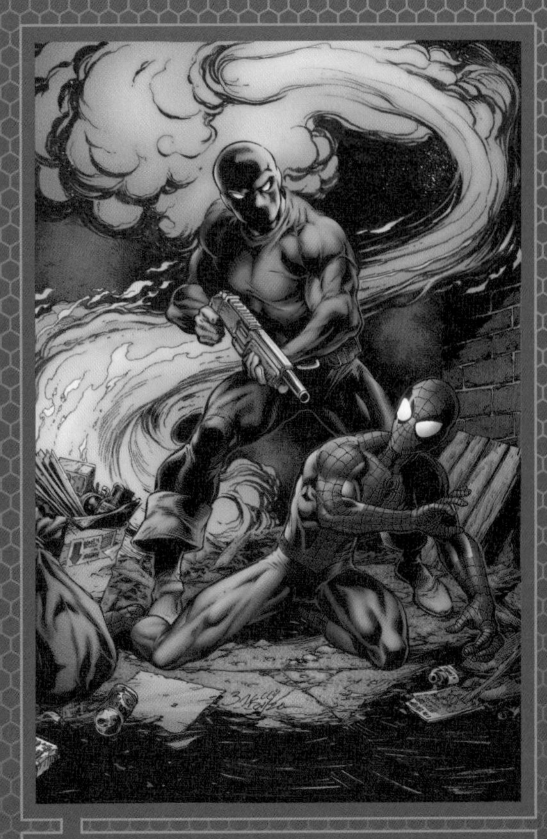

#45 VARIANT BY
MARK BAGLEY, JOHN DELL & MORRY HOLLOWELL

#46 VARIANT BY
MARK BAGLEY, JOHN DELL & MORRY HOLLOWELL

48

신즈 라이징 4부

신 이터가…
이겼다.
추종자는
계속 늘어나고…
…이제 온 도시에
그 존재를
알리려 한다.
새로운 지도자를 따라
나아가며 그의 뜻을…
…더욱 더 멀리
퍼뜨린다.

본인들 눈에
죄인이라면 누구든지
습격하고 있다.
기준도 확실하지 않아서
덮치는 대상도 가지각색인데…

대부분은
어떤 식으로든
자기하고
다르기만 하면
죄인으로 보는
모양이야.
하지만
대상은 달라도,
죄를 '정화'하는
방법만은…

…한 가지뿐이군.

사방팔방에서 한꺼번에
튀어나오는 통에 나 혼자선
감당할 수가 없어서…
…친구에게
도움을 요청했지.
마일스 모랄레스,
또 다른 스파이더맨.

요즘은 마스크 쓰고 싫어하는 사람 습격하는 게 유행인가 봐요?
THWAK
THAM
그런가 봐.
KUNK
누가 알았겠어요?
THUD
그러게, 이 친구들이 난동 부리지 않았으면…
THWIP
…나도 양심 찔릴 뻔 했어.
THWIP
배후인 녀석이랑 앙금이 꽤 깊은 편이죠?
응, 너 태어나기도 전부터.
왜 이런대요? 목적이 뭐길래?
죄악 없는 세상…
그분이 뭘 하실지 잘 알잖아.
그분께서 네가 이루지 못한 과업을 대신 이뤄 주실 거야….
뭔 소리래요?
그래, 진짜 문제는 지금부터야.
신 이터 추종자들이 맨해튼에서 깽판 부리는 동안, 신 이터는 원래 노리던 표적…

…노먼 오스본을 잡으러 갔어.
그린 고블린…
한때 내 모든 걸 앗아 갔던 자.
내가 이 세상 그 누구보다 싫어하는 자.
그리고 현재는 레이븐크로프트 정신 병원 원장.
그동안은 신 이터가 날 한계까지 몰아붙였는데…
이제는 내게 한계 너머 더 큰 시련을 주려 한다.
원장님!

무슨
일이지?
당장 탈출하셔야
합니다.

"정문 경비대만으로는
신 이터 군단을 막기 역부족이고…
"…시설 내부에서도 환자들이
난동을 부리고 있습니다."

서두르셔야
합니다—
어림없는 소리.
걱정은 고맙지만
도망칠 생각은 없어.

레이븐크로프트는
내 거야.
그리고
잊었나 본데…

"무기라면 이쪽에도
넘치게 있어."
KTOOOM

노먼 오스본?!
그 노먼 오스본을 잡으러 갔다고요?
응.
피트…
그럼 그냥 두세요.
마일스, 그럴 수 없다는 거 알잖아.
왜요?! 위협과 공포에서 나온 기사 보니까 신 이터가 사람 죽이는 것도 아니던데—
정확히 무슨 짓을 하는지는 몰라.
네파리아라는 녀석이 국제 테러리스트에서 뜨개질 좋아하는 할아버지가 됐다는 건 알죠.
신 이터가 오스본한테도 같은 힘을 쓸 수 있다면 오히려 더 좋을지도 몰라요.
추종자들이 조금 전까지 난동 부리는 거 봤잖아.
네, 신 이터는 악당이에요. 우리 손으로 막아야죠.
근데 노먼 오스본한테 능력을 쓰게 만든 다음에 잡자는 거예요. 그럼 서로 좋잖아요.
저희가 만난 노먼 오스본이 한 명뿐인 건 아니죠. 제가 형보다 이쪽 노먼 오스본을 잘 알진 못하지만…
…제가 살던 쪽 노먼 오스본도 잊을 만한 놈은 아니에요. 제가 그 인간을 처음 봤을 때가…

"…피터 파커와
처음 만났을
때였어요."
이젠 어느 노먼 오스본이든
상관없이 잘 알아요. 이쪽 세상에
오래 있어 보니 두 오스본이
같은 부류란 걸 알게 됐죠.
그러면 형이랑
제 쪽 피터도 비슷할 거예요.
그리고 그 말은….
형을 또
죽게 할 순
없어요.
신경 써 줘서
정말 고마워, 마일스.
그런 일이
일어나더라도…
…날 대신해
일류 히어로가 되려고
열심히 노력할 사람이
있다니, 다행이야.
저기요, 이미
노력 중이거든요!
아니, 벌써
일류거든요!

인정하긴 싫지만,
마일스 말이 일리 있어.
그린 고블린이든
노먼 오스본이든…
…결말이 어찌 될지는 뻔해.
지금까진 어떻게든 이겼지만,
맞서 싸울 때마다…
…노먼 오스본은 점점 더
위험하고, 더 끔찍한
모습으로 돌아왔어.
안 그래도 위태위태한
내 운수가 바닥나면
과연 어떻게 될까?
아니,
어쩌면…

…노먼의 운이
더 빨리 바닥날지도
모를 일이지.
노먼 오스본!

안에서
보고 있는 거
다 안다!

곧 우리의 분노를
보여 주마. 그렇지 않은가,
동지들? 하지만
시작하기에 앞서…

…내가 뱉은
말을 지킬 때가
왔다.

다들 손을 들고
가까이 모이도록.
힘을 나눠 주마.

내가 그러했듯
너희의 사명을
받아들여라.
좋아….
이제 나의
이름으로…
…죄를
정화해라.
이제 나 아니면
노먼이 죽게 생겼다.
근데 그래도 딱히
나설 이유는 못 되는데.
지켜야 할
가치가 있기에 난 매일
목숨을 내놓고 다니거든.
나 혼자 살겠다고
도망칠 거면 왜 굳이
저러고 살았겠어?

그치만 내 목숨만
걸린 게 아니야.
절대 아니지.
노먼 오스본은
내가 아끼는 이들을
정말 많이 죽였어….
친구…
동료…
심지어는…
SNAP

…그웬?
이야, 피트. 꼴이 왜 그래요?
귀신 봤다고 한마디 하지 그래요. 두둥-탁.
당연히 같은 그웬은 아니고.
…점점 익숙해지고 있어.
흠, 어떻게 알고 오셨나?
먼저 문자 보냈잖아요. 기억 안 나요?
그랬지.
THE MARY JANES
이쪽 그웬은 다른 차원에서 왔는데…
…전혀 다른 인생을 살았지. 그렇지만…
그걸 넌 마일스한테 일렀고.
걔가 정말 걱정 많이 하더라고요.

당신이 큰 실수를 저지를지도 모른다고.
다들 그렇게 생각하더라.
글쎄요, 난 그렇게 생각 안 해요. 뭔가 음모가 있는 것 같아요.

그래? 아니, 일단 말 끝나기 전에 제발 때리지 말고 끝까지 들어 봐…. 네가 내 여자 친구였던 그웬이 아닌 것도, 내가 너희 피터가 아닌 것도 알아.
근데 말이야…
…지금 정말 간절하게 그웬이라면 내가 어떻게 하길 바랐을지 알고 싶어.
너보다 좋은 답변을 해 줄 사람이 없고.
그웬은 내가 처음으로 사랑한 사람이야.
그런 사람을 노먼 때문에 잃었지.
그웬이 살해당하기 전부터도 애써 충동을 억눌렀는데….

그웬이 죽던 날, 죽은 그웬을 안고 맹세했어.
'무언가'를 하고 말겠다고…. 그런데 하지 못했어. 할 수 없었어.

지금까지도 그웬이 복수를 바랄지 모른다는 생각에 잠을 설치곤 하는데도….

있죠, 또 다른 내가 이미 죽은 세상에서 산다는 건 조금 묘한 일이거든요.
그래서 얼른 마음을 편하게 가라앉힐 방법을 찾아야 해요.
또 다른 나를 아는 사람들과 만날 때가 제일 힘들어요. 여기서 난 이미 **죽은 사람이니까.**
다들 천사처럼 착하고 완벽한 아이가 희생당했다며 안타까워하는데, 난 그런 사람이 아니란 말이죠.
죽은 그웬도 그랬을 거고.
그저 살면서 스쳐 지나가는 이야기로 치부할 순 없겠죠. 그렇지만 여기서 그웬이 죽었다면 그걸로 끝인 거예요. 좋든 싫든 그게 그웬의 인생이라고요.
쉽게 선택할 수 없겠지만, 그래도 선택해야 할 사람은 당신이에요.
이런 조언을 들어도…

…선택은
쉽지 않다.
이럴 필요 없다고
말하잖아—
벌써 시설 내부로
들어왔습니다. 추종자들한테
무슨 짓을 했는지는 몰라도
더는 막을 수 없어요.
원장님이라도 안전하게
대피하셔야—
억!
멍청아!
조심해!
왜 이렇게
어려울까?
왜 그놈을 그냥 죽게
내버려 둘 수 없지?
세상이 날 쥐어짜듯
움켜쥐어서…
…아무리 용을 써도
빠져나갈 수 없는
기분이야.
아, 노먼…

왜 항상 이 녀석하고 엮이는 걸까?
누군가는 운명이라고 말하기도 하지.
줄리아?! 여긴 어떻게—
아, 그렇지.
줄리아 카펜터.
한때는 스파이더우먼 중 하나였지만… 생명과 운명의 거미줄에 연결된 천리안을 물려받으면서…
…새로운 마담 웹이 됐다.
거미줄이 말하길, 지금이 네 인생에서 아주 중요한 순간이래, 피터. 그런데… 선택의 결과가 전혀 보이질 않아.
네가 세상에서 가장 두려워하는 자를 신 이터가 쫓고 있지? 넌… 너답게 있을 뿐이고.
의혹, 죄책감, 책임감에 눌려 아무것도 못 하면서.
마음속이 정말 혼란스럽겠어.
어떡해야 할지 모르겠어….

그럼 천천히
다시 살펴보자.
'노먼 오스본이 얼마나 위험한지는 잘 알아. 마주칠 때마다 죽을 뻔했으니까.'
'그렇다 해도 챙길 게 내 몸밖에 없다면 노먼을 죽이지 않겠지만…'
'…아무 죄 없이 노먼에게 살해당한 사람들이 뇌리를 맴돌아.'
'특히 사랑하는 사람을 잃은 고통에 매일 시달려.'
'그럼에도 그 고통을 따라 '선택'하진 않아. 복수심으로 결정하면 안 되기 때문에.'
'이제 마지막 질문만 남은 상태야. 절대 그냥 넘길 수 없는 문제지.'
'차라리 신 이터가 노먼을 죽이려고 한다면 나을 텐데…'
'…치료 하겠다고?'
'함정이란 걸 알아. 그 뒤엔 더 사악하고 그릇된 뭔가가 있단 걸 알아. 하지만 그래도 노먼 오스본이 착해진다니…'
'…수많은 목숨을 구할 수 있잖아?'
피터, 내 능력을 쓸 필요도 없이 분명히 말할 수 있어. 노먼 오스본은 이 땅 위에 있는 한 반드시…
…또 누군가를 죽일 거야.

맞는 말이다.

그 괴물이
언제 다시
튀어나올지는…

…시간문제일 뿐이야.

그 괴물이 언제
내가 사랑하는 사람을
공격할지도….
F.E.A.S

사랑하는 사람….

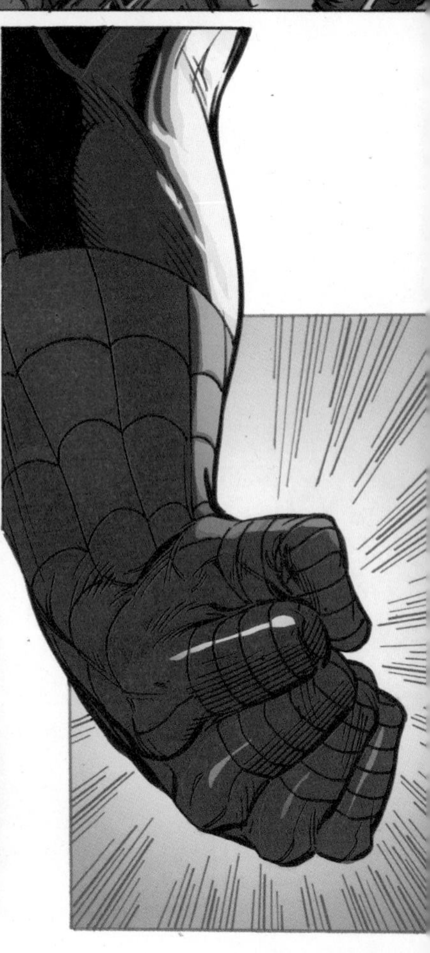

당장 손 떼지 못해! 무슨 짓을 하는 건지 알기나 해?!
뭐 하는 것처럼 보여, 노먼?
KRAK
널 구출하는 거야.

결국
진짜 갔네요.
놀랍지도
않죠.
설득한 줄
알았는데. 저는
피터를 잘 안다고
생각했거든요.
이제
끝이지, 뭐.
크리스마스의
과거, 현재, 미래
유령까지 안 먹히는데
어쩔 거야?
그래도…
'두들겨
팼어야 했다'는
뜻이죠?
분명 완전히
끝낼 방법이
있을 거야.
피터가
선택했으니, 우리도
선택해야 해.
다들
무슨 선택을
내릴지는 잘 알고
있겠지?

우리가
스파이더맨을
막는다.

노먼 오스본의 죄

메이징 스파이더맨:
난 이야기
최근 꾼 악몽에서 피터 파커는 산 채로 땅에 묻혔다.
현실 속 스파이더맨의 삶도 별반 다를 바 없는데….
신 이터가 되살아나 뉴욕 시내를 활보하며 그 어느 때보다 더 큰 문제를 일으켰다.
슈퍼빌런을 쏠 때마다 능력을 흡수하는 것은 물론이고, 폭력 행위를 멈출 생각이 없는 추종자가 계속 불어났다.
신 이터의 총에 맞은 빌런은 죽기는커녕 개과천선했다. '더 좋은 거 아닌가?'라는 생각과 함께 초록 복면을 쓸 생각이 들지도 모른다….
신 이터의 다음 표적이 스파이더맨의 가장 지독한 숙적인 노먼 오스본이라 하니 더더욱 그럴 수밖에.
지만 스파이더맨은 그 말을 지 않는다. 그리고 이 모든 일엔 체불명의 빌런인 킨드레드가 입했다고 의심한다.
게다가 앞서 언급한 악몽은 사실 피터가 꾼 꿈이 아닐뿐더러, 피터 혼자만 꿈을 꾸던 게 아니었는데….

우리가 막아야 해.
우리가 스파이더맨을 막아야 해.
그러기 위해선 다 힘을 합쳐야지.
아, 그게 제일 이해 안 되는 부분인데…
왜 굳이 우리가 나서요? 팀인 적도 없었는데요. 스파이디를 돕기 싫다는 게 아니라—
우리도 다 돕고 싶어. 근데, 얘 이름이 뭔지는 모르겠다만 맞는 말 했네. 옷만 비슷하지, 우린 공통점도 많지 않잖아, 줄리아.
*얘는 안야 코리
스파이더걸입니다. 앞
기억해 주세요, 제시
그렇게 단순한 문제가 아니야, 제시카. 거미의 상징을 입는다는 건 스파이더 토템이 된다는 뜻이야.
팀이든 아니든, 우린 모두 생명과 운명의 거미줄로 엮여 있어. 우리가 겪을 미래도 함께 뒤엉켜 있다는 뜻이야.
평소라면 크게 중요하지 않겠지. 거미는 천성이 고독한 생물이니까. 하지만 어떤 사건이 우릴 하나로 뭉치게끔 작용할 때가 있어.

*"크라비노프 일가가
거미 능력자들을
사냥하려고 했을 때나…"
*「어메이징 스파이더맨: 그림 헌트」(옮긴이)
*"…인헤리터스가
멀티버스를 휘저으며
우릴 습격했을 때나…"
*「마블 나우! 어메이징 스파이더맨」 Vol. 3.(옮긴이)
그웬,
다 봤으면서
왜….
옳은 일인지
정확히 알지도
못하잖아요.
…오늘처럼
스파이더맨의 목숨이
위험할 때에도
말이지.
내가 본 게 뭔지 잘
모르겠는데.
뭘 봤는지
말해 주지
그래?
하아
알았어요.

그냥 꿈일 뿐이에요.
다들 봤잖아? 내 꿈에선 엠파이어스테이트 대학에서…
꿈이 아니야.
…피터가 죽었어.
꿈에선
스예요.
난 어벤저스 맨션.
거미줄이 고통으로 울부짖고 있어. 거미줄의 상징이 곧 스러지려고 해.
너희가 본 건 단순한 꿈이 아니야. 전부 다가올 미래 중 하나이고, 결말은 모두 똑같이…
…스파이더맨이 죽는 거지. 그리고 살해자는 바로…

"…노먼
오스본이었어."

전혀
놀랍지 않은
이야기지.
여기 있는 사람은
대부분 노먼 오스본한테
당해 본 적 있잖아.
그린 고블린만큼 사악한
녀석은 없었어.
"…신 이터의 총구가
녀석을 겨누기만 하면 돼."
근데 이제
그 괴물의 운이
바닥을 보이려
하니…
신 이터가
노먼 오스본을 정화하면
더는 스파이더맨에게 위협이
되지 않을 거야. 그거면
문제 해결이지.
작은 문제가
있는데요…
…계획에
반대하는 사람이
하나 있어요.
"저희가 얘기를 좀
해 보려고 했는데, 들을 생각도
안 하더라고요."
"스파이더맨 구하기
작전에 절대 끼지 않을
한 사람은 바로…"

"…스파이더맨 본인이에요."
여기 있었구나, 노먼. 사방팔방 다 뒤지고 다녔다고!
걱정하지 마, 너의 다정한 숙적이 도와줄게!
구하러 왔어.
또.

THUD
나 아니었으면 벌써 갈가리 찢겨서 죽었어.
아직도 이건 진짜 아닌 것 같다 싶긴 한데, 사지 멀쩡한 상태로 나가게 해 주겠다고. 근데 왜 협조를—
당장 손 떼, 범죄자 놈아!
노먼, 도와준다는데 왜 그래?
KRAK
슬금슬금 빠져나가려고만 하니 도와줄 생각이 싹 가시네.
내가 도망친다고? 눈 좀 뜨고 다녀라, 건방진 새끼야….

여기 주인은 나야.
레이븐크로프트를
쥐고 있는 건 나라고.
그런 내가
이 쓰레기 놈들
때문에 도망…

THAP

BWAM

…치겠냐?
너 같은 놈들 손을 빌려서
여길 빠져나갈 생각도 없어. 게다가
넌 말이지, 항상 중요한 순간마다 아무도
못 구하는 녀석이잖아….

내가 직접
관람해 봐서 잘 알지.

입 닥쳐!
WAM
우리 사이에 있었던 '중요한 순간' 얘기를 하고 싶어?
해 보자, 그럼. 너 때문에 죽음, 고통, 아픔에 빠져 구른 게 얼마나 됐는지 정확히 기억조차 못 할 만큼 오래됐어.
지금도 널 그냥 저놈들한테 던지고 싶어서 미칠 지경이야.
근데 난 싸구려 도발에 넘어갈 생각 없어. 네 알량한 자존심 말고도 분명 뭔가 있을 테니까.
난 널 알아. 인정하고 싶지 않지만, 그 역겹고 비뚤어진 속내를 잘 안다고.
언제나 그랬듯이 뭔가를 숨기고 있겠지.
이 비참한 시설에 뭔가가 있는 거야.
근데 날 쏙 빼려고? 어림도 없지.
좋든 싫든, 지금 너랑 난 한 세트야.

"이번 일이
다 끝날 때까지."
진짜 이해가
안 되네.
왜 굳이
나서는 걸까?
신 이터가 나쁜 녀석들을
죽이는 것도 아니고 치료한다는데,
왜? 위협과 공포 기사엔
그렇게 나오던데.
그냥 가서
대화부터
해 보는 게—
벌써
해 봤어.
맞아요. 경고까지 했다고요.
피터가 뭐라도 하지 않으면
결국엔 오스본한테
죽을 거예요.
당연히 그 과정에서
더 많은 피해자가 나올 거란
말도 해 봤어.
간단한 문제가
아니에요.
피터도 다
알고 있어요.
피터만큼
노먼한테 이를 가는
사람은 없어요.
그런데도
저런다는 건 진심이라는
뜻이겠죠.
하지만
피터는 악마와
거래하면서 대가를
지불할 생각을 하면
안 된다는 것도
알아요.
우리 중에
노먼이 얼마나 교활한지
모르는 사람은 없지만…
이 신 이터라는 녀석하고
그 배후에 있는 자가…

"먼보다 더 사악하다면
어떻게 해야 할까요?"
관제탑!
당장 증원을 보내 달라!
적이 너무 많다!
이대로 가면 곧—
WHOOSH
…정화되겠지.
잔챙이들이 그러했듯…
…본진도 깨끗하게
정화해 주마.
NYPD

BLAM! BLAM!
흠.
용감하군.
아주 용감해.
하지만 이 부정한 세상은 이렇게 선하기 짝이 없는 자도 속이기 마련이다.
내가 직접 보여 주지.
몇 시간 전.
"잘 모르겠습니다."
충실한 종으로서 당신께서 내리신 일을 모두 해냈습니다.

그런데 어찌 아직도 절 거두지 않으시는 겁니까?
절 구해 사명을 주시고 이 세상에 보내셨으면서 왜…
…답이 없으십니까?
저 때문에 불쾌하셨습니까? 어쩌다 실망이라도 하신 겁니까?
지시하신 대로 기적을 주겠노라는 말로 사람을 모았으나, 이젠 뭘 해야 할지 모르겠습니다. 부디…
…부디 작은 신호라도 주십시오….
CREAK
어떤 놈이냐? 분명 모여서 기다리라고 했을—
넌… 어제 모임에 나왔던 놈이군.
도망쳐서 죄송합니다. 전 스파이더맨과 악연이 정말 깊어서…

다시 돌아올 수밖에 없었어요. 그 깊은 악연을 정화해 절 자유롭게 풀어 주십시오….
흠. 온몸에 죄악의 냄새가 배었군. 얼굴을 볼 수 있게 후드를 젖혀라.
흐흐…
하하하하
하하하하하
뭐가 그리 우스운지…
내 말을 들으시고…
"…답을 내려 주셨군."
BLAM

마틴 리, 네 죄는 정화됐다.
"더는 미스터 네거티브의 악에 시달리지 않아도 돼."
그리고 이 구원을 통해…
…심판이 도래할 것이다.

선물을 받을
준비가…
…진실을 볼
준비가 됐는가?
부서장님?
BLAM
BLAM
이제 내 이름을
받아들여라.

뭘 숨기고 있는지 알고 싶다고 했지?
이제 보여 주지.
잠깐, 여긴…
네가 갇혔던 방이잖아.
여긴 네가 올 이유가 없겠다고 생각했지.
난 여기서 실패를 곱씹고…
…미래를 구상했어. 앞을 보려면…
ZZZZ

VVZZZAAAAAAHHH
…뒤를 돌아
시작점을 봐야 할 때가
있지.
이럴 줄
알았어.
여기에 비밀
기지를 숨겨 놨었구만.
어이가 없네.
나중에
고맙단 소리 할걸.
마지막엔.
잠깐… 무슨
지도야? 엠파이어스테이트
대학이잖아? 노먼…
…여기서
뭘 꾸미고
있는 거지?

그건 신경 꺼, 줄타개.
지금은 레이븐크로프트에 집중해야 해. 환자를 써먹으면 기세를 바꿀 수 있을 거야.
환자를? 재밌네… 아까 분명 네 입으로 다 대피시켰다 하지 않았나?
하나 빼고. 최근에 들어왔는데… 이송하기 좀 어려운 타입이라.
집중 재활 치료도 소용이 없었어.
집중 세뇌가 아닐까 싶은데….
그렇지만 무기로서는 제대로 휘두르기만 하면 이 신 이터 나부랭이들 정도야 간단히 처리할 수 있어. 어려운 일 할 것도 없이—
안 돼!
뭔데?
환자가… 사라졌어….
컴퓨터, 10분 전 감시 영상 재생해.
이럴 리가 없어. 그 병동은 특별 권한이 필요해서 날 빼면 한 명밖에 못 들어가는데….

카프카
박사님!
이게 다
무슨 난리래요?!
죄송합니다.
당장 모시고
나가야겠습니다.
그게 무슨 소린지….
오스본 원장님은
무슨 일이 있어도 자리를
뜨지 말라고 하셨어요.
거기 계시면
위험합니다! 빨리요!
시간이 많지 않아요—
시간 끝났다,
애슐리 카프카….
이제 노먼 오스본은
여기 주인이 아니야.

카프카 박사가
살아 있다고?
그래….

"지금쯤이면
아닐 수도
있지만."
PFFT
PFFT
Kreeeak
오스본? 너냐?
누가 됐든
상관없지….

이
저거너트가
너희를 전부
찢어 주마!

내가 할 수 있을지
모르겠네요.

그 맘 잘 알아.
쉬운 선택은
아니지. 간단한 문제도
아니고.

하지만 거미줄이
우릴 인도해
줄 거야.
근데
이해 안 되는 게
하나 있는데요.
왜 굳이 숨겨요?

피터랑 얘기했을 때
다 말했으면 되잖아요?
아니면
가기 전에 미리
말리든가요.
그런 방법은
안 먹히니까.

스파이더맨의 실이 피터를
선택의 기로까지 이끌었어. 그렇기에
선택권을 빼앗을 수
없던 거야.
이제 거미줄은
우릴 보고 있고, 우리도
선택해야 해….

다들
준비됐어?
그럼.
넵.
네.
저도요.
하아
알았어요.
좋아,
그러면…

거미줄 기사단
결성이군.
와, 상황도
상황인데 팀 이름까지…
최악이네요.
솔직히 네가
거절할 줄 알았어,
마일스.
저기요, 이미 피터가
죽는 걸 한 번 봤단 말이에요.
또 그럴 순 없죠. 근데…
물어볼 게
하나 있어요.
말해 봐.
아까 저희는
뭘 봤는지 다 말했는데
당신 얘기는
못 들었잖아요.
"뭘 봤어요?"
아주
끔찍한 거.

이 괴물 자식!
TRASH
무슨 짓을 한 건지 알기나 해?!
커억! 해야 할 일을 했을 뿐이야.
앞으로 일어날 일을 막으려면 어쩔 수 없었어. 너도 알잖아?

킨드레드를.

그놈을 어떻게 알지?!
신 이터는 시작에 불과해.
우리 둘이 죽는 걸로 끝나지 않아. 기쁨에 겨워서 이 막장 도시 전체를 제물로 바치겠지.

흥… 이제야 상황 파악이 되나? 아까 네가 말한 대로야.
좋든 싫든, 지금 너랑 난 한 세트야…

…이번 일이
다 끝날 때까지.

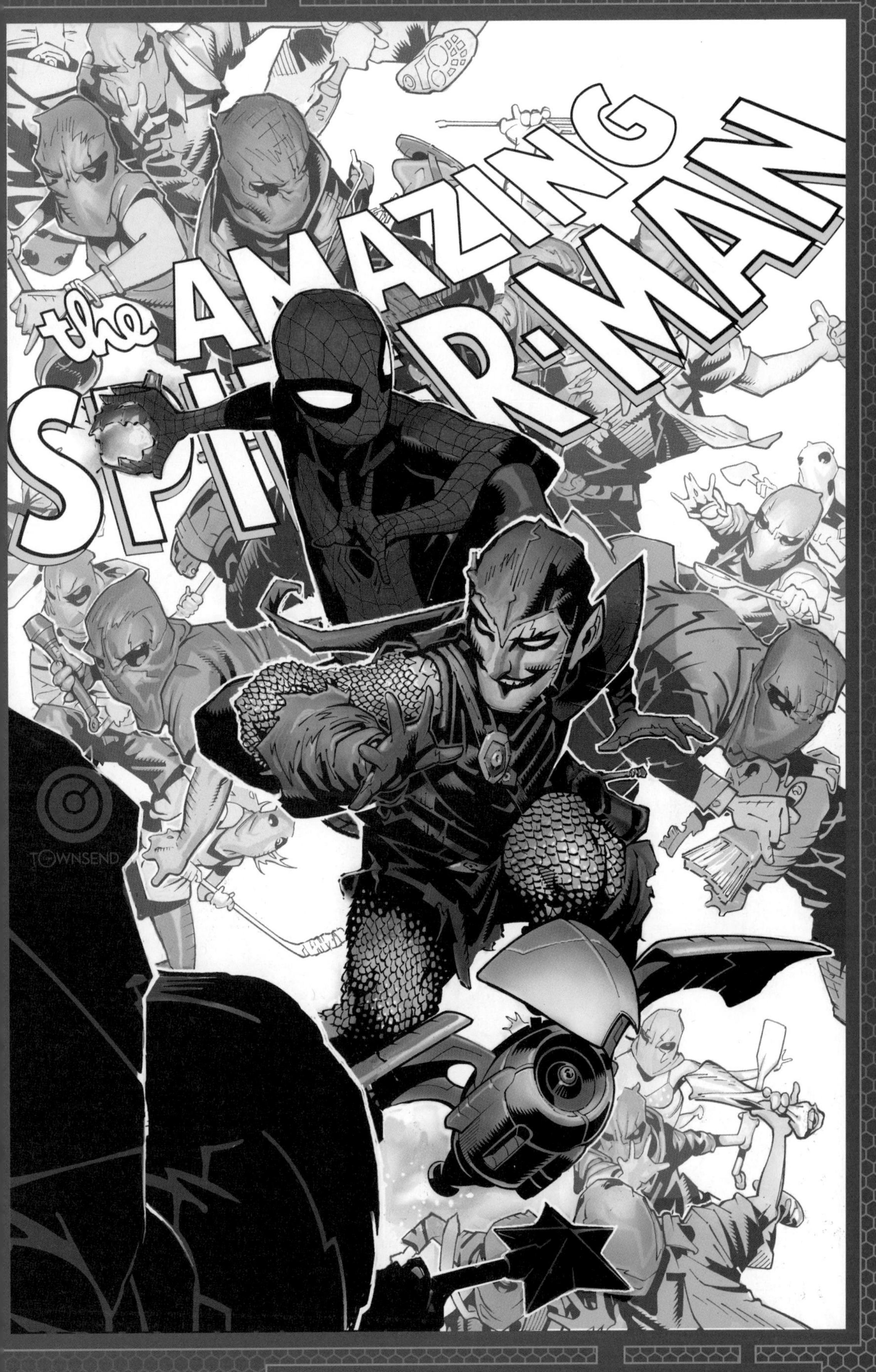

#49 VARIANT BY MARK BAGLEY, JOHN DELL & JASON KEITH

49

그린 고블린의 귀환

"널 아들처럼
생각했을 때도
있었다, 피터."
"내게 한 번도 없던,
그런 아들로…."
"내게도 유산을
남길 기회가
왔다고 말이야."

그렇지만
긴 세월 동안
너랑 나 사이에 수많은
일이 있었지.
그러면서
가족 같던 사랑이
증오가 됐고.
거짓말.
지금까지
얼마나 서로한테
고통을 줬더라?
난 널 머저리라고,
넌 날 미치광이라고
했지. 난 네가 사랑하는
이를 죽이고…
…넌 날
이딴 곳에 가뒀어.
증오의 쳇바퀴지.
절대 멈추지 않을
쳇바퀴.
믿으면
안 돼.
그렇지만 지금은
너무나도 위험하고
특별한 경우다,
피터. 우리가 힘을
합치지 않으면
맞설 수 없어.
너도
잘 알잖아…
"…그놈이
오고 있다는 걸."
이 모든 일의
배후엔 킨드레드가
있어.
거기다
그놈하고 맞붙지도
않았는데…
괴물 자식!

"…처리해야 할
녀석이 있어."

RRRRRRRRRIIIII

"선택의 여지가 전혀 없다니까?"
닥쳐.

"너도 어떻게 해야 하는지 알잖아."
절대 안 해.

"…뉴욕을 지키려면…"
널 그냥 둘 것 같냐—

"…사랑하는 모든 것을 지키려면."
멈춰!

안 돼.
절대 이런 일을 용납할 순 없어.

"너 혼자선
막을 수 없어."
아니야.
"내 도움이
필요하지."
아니야…
"너랑 나…
우린 이럴 운명을
타고난 거야, 피터."
아니야!!
"둘이서 운명을
실현해 보자고…."

"스파이더맨과
그린 고블린이…"

"…같은 편에 서서
싸우는 거야!"

그린 고블린의 귀환:

1부
막을 수 없는 힘

잘못돼도
한참 잘못됐어.
괴물을
막으려고…
…다른 괴물을
깨우다니!
고블린은 내 모든 걸
앗아 갔던 놈인데….
한두 번도
아니었어.
시간문제란 걸
잘 알면서…
…분명 또
그럴 걸 알면서.
잡았다!

이 따라쟁이
녀석들, 너희 때문에
정말 열 받았거든?
초록에 보라?
그건 내 상징이라고!
못 참겠군. 너희한테
더 좋은 색을
소개해 줄게….

…빨간색이야!

멈춰!

크윽!

한 가지만 분명히 짚고
넘어간다, 노먼….
주먹질 소리가
들릴 때마다 널 거미줄로
묶고 싶지만, 간신히
참고 있어.
네 말대로 이렇게
어울려 주는 건
다 네가 내 규칙을
따를 때뿐이야.
알아들어?!
뭘 하든 내 방식대로 해.
그러니까…
아무도
죽이지—
안돼!
팔이
날아갔는데…
…다시
자라잖아?!
말씀
끝나셨나?
"좀 기분이
께름칙한데…"

그러게,
완전 유령 나오는
영화의 주인공 된 기분이네.
나도 모르는 사이에 트럭에
치여 죽기라도 했나?
유령이 된 게
아니야, 실크.
영혼 상태로
생명과 운명의 거미줄
안으로 들어왔지만…

…육체는 근처에
분리해 둔 상태지.
이제…

…선택의 중대한 결과가 나오는
순간을 기다려야 해.
아, 그게 잘 이해가
안 되는데요.

눈앞에
스파이더맨이
곤경에 처한 게
보이는데…
…왜 직접
도우면 안 된다는
거예요?

아직 때가 아니라서 그래, 안야.
맞아, 우리가 끼어들어야 하는 건 이 싸움이 아니야.
다들 환영을 봤듯이, 스파이더맨을 막지 않으면…

"…그린 고블린에게 살해당하고 말아."
"하지만 고블린이 다가 아니야."
RRRRIIIIIIIII
"신 이터가 있으니까."

신 이터가 고블린을 정화하는 순간, 바로 개입해야 해.
문제가 하나 있네요. 지금 딱 보니까… 스파이더맨하고 그린 고블린이, 음…

"…한 팀 같은데요."

이럴 줄은 상상도
못 했어. 신 이터 때문에
열 받았다곤 하지만…
이유는 몰라도
당장 그만두게
하고 싶네요.
오스본을
다시 고블린이 되게
하다니….
그러게요….

이런 말 하고
싶지 않지만…
피터는 지금
제정신이 아니에요. 당장
막아야만 해요.
아니면…

…가만히 있는 건
어때요?

아직도
그 얘기야?
아까 분명
다 동의했는데—
마음이
바뀌었어요.

내 말 듣고
한 번 더
생각해 봐요.

수도 너무 많고
쓰러지질 않아.
어쩌다
이렇게 된 건지는
모르겠지만…

어떤 놈 때문인지는 알지.
RRRRIIIIIIII

둘러싸여서…

RRRRIIIIIIII
더는…
KH-
THOOM

버틸 수가…
KH-
THOOM

있을지도
모르겠네?
KH-
THOOM

추종자들이…
멈췄다? 그리고 이건
도대체 무슨…
…소리지?
KH-THOOM

무릎을 꿇어…?
이런…
KH-THOOM

KH-THOOM

왔군.

시간이
됐다….

수많은
죄가…

결국 너흴
집어삼켰군.

너희 꼬락서니를 봐라.
증오와 고통으로 뒤덮여서…
…누가 누군지도 모를 지경이야.
네 뜻대로 하게 두지 않겠어, 스탠.

이런 놈이라도 절대 안 돼.
어째서? 네 죄 때문에 어디까지 끌려왔는지 생각해 봐라.
괴물한테서 구원해 주겠다는데, 내 앞을 가로막아? 놀랍다는 말도 안 나오는군.
동감이야.

참 예측하기 쉬운 놈이지. 안 그래?
너무 착해 빠져서 제대로 끝을 못 내거든. 이런 걸 뭐라고 하더라…?
'물러 터졌다'?
그래, 카터, 네 자료 파일은 벌써 다 봤어. '마지막'으로 갇혔을 때, 퇴원하려고 의료진한테 지껄인 말이 다 적혀 있었지.
딱 한 가지만 분명히 말해 줄게….

네 녀석이 처박힐 감방은 이미 정해졌어!
고블린, 안 돼!

호박 폭탄으로
끝낼 수 있다고
생각했다면…
…크나큰
오산이란 말이야.
커억!
빠르게
움직이자.
어이, 스탠리!
성형 잘됐다?

근데 헐크가
그 보라색 스판 바지
돌려 달래.
카키색 바지 입으면
진짜 안 어울리니까
빨리 돌려줘.
계속 농담 던져,
스파이디.

이제 신 이터 하나만의
문제가 아니야.
저거너트의 힘을
흡수한 신 이터는…
아무리 빠르게,
아무리 힘껏 때려도…

…무엇으로도
막을 수 없으니까!

그린 고블린의 귀환:

2부
빚

뭐 하나만 말할게.
널 데리고 도망치는 게 원래
작전이었는데…
…정면 돌격은
안 먹히는 것
같네?
흠. 그럼
어떻게 할까?
탈출 경로를
알려 달라는 말이야,
노먼.
쉽지
않을 텐데.
"추종자들이
인간 벽처럼 나란히 서서
모든 출구를 막고 있어."
아, **왜 이래,**
노먼? 아까 비밀 기지도
보여 줬으면서?
숨겨진 통로
있잖아.
하아
아직 완공되려면
한참 멀었지만, 지하 2층에
선착장이 있어.
거기 탈것이
하나 있는데, 그거면
물길을 따라 강으로 나갈 수
있을 거야.
레이븐크로프트 지하에
물길을 뚫었다고? 노먼, 도대체
무슨 짓거리를 하려고?!

거미, 그 얘긴
나중으로 미루자.
눈앞에 있는 것부터
처리해야 하잖아.
CHK-VVWTTT
레이븐크로프트에
있으면서 여길 강화하느라
많은 시간을 썼어.
보이다시피…
…다 이곳만을
위해서 한 일이야.
FSSSSHHHH-
KOOOOOM
저걸로는
턱도 없는 거,
알지?
놈을 끝장낼 순 없어도
네 주특기를 발휘할 시간은
충분히 마련할 수 있잖아?
냅다 튀어서
숨기!
하
하하

무슨 말 할지 알아요. 아까도 얘기했고, 이미 어떻게 할지 결정까지 했으니까요.
근데 제가 말하고 싶은 부분이 바로 그 점이에요.
우리가 정할 문제가 아니란 거.
피터가 저한테 와서 어떻게 해야 할지 물었어요.
저라면 어떻게 했을지 말이죠. 그러니까… 이쪽 세계의 그웬이었다면.
좀 헷갈리긴 하네요.
그래서 최선을 다해 대답했어요. 저 말고 이쪽 그웬이라면 어떻게 느꼈을지….
근데 솔직히 말해서 여기 그웬이 어떻게 했을지 저는 전혀 몰라요.
알 방법이 없잖아요? 그리고 다들 노먼이 피터를 죽이는 모습을 봤다는 건 잘 알죠.
마일스, 네가 피터한테 위험한 일이라고 했는데도 피터는 마음을 안 바꿨댔지?
바로 그게 요점인데…

"이건 피터의
싸움이고…"
KOOM
"…저들은
피터의 적이죠."
TZZZ
TZZZ
TZZZ
TZZZ
"우리가
잘 안다고…"
KROK
"…피터가 틀렸다고
생각할 순 있지만…"
FWOOSH
"…피터한테
그런 선택을 할 정도의
권리는 있잖아요?"
"왜냐면…"

"스파이더맨이잖아요."
"우리 중에 피터를 최고로 치는 데는 다 이유가 있다고요."
THWIP
"그러다가 죽는다고 알려 줘도…"
"아마 피터라면…"

"내 쪽 피터는 전혀 다른 사람이어서
이쪽 피터를 잘 알게 될 때까지
시간이 좀 걸리긴 했어요."
FRAM
"여기의 피터는
진짜 영웅이에요."
크아아아아아아아악!
"누가 앞을 가로막든,
옳다고 생각하는 일을
끝까지 하는 사람이죠."
컥!
KAROOM
KRAK
"…마음을 바꾸지
않을 거예요."

분명히 다른 방법이 있을 거야.
크윽!
PWOOMP
스파이더맨, 이 쓸모없는 놈아! 당장 도와!
⁓하아⁓ 네, 고블린 님. 뒤 닦아 드리러 갑니다….
THWIP
별로 놀랍지도 않아.
노먼이랑 난 적으로서 서로 싸우는 편이었지….
한 팀이 아니었거든.
THWIP
야! 안 비키고 뭐 하고 있어—
아니, 도와 달라며—
이대로 가다간…
억!
THUP

…신 이터한테
유리할 수밖에
없어.
자, 머리를 굴려라,
스파이디. 이제
도망칠 곳은 없어…
'앞쪽'으로는
말이야.
THWIP
THWIP
THWIP
THWIP
THWIP
THWIP
THWIP
THWIP
THWIP
THWIP
이, 스탠리.
미안한데…
…아무래도
우리가
다른 층으로…
내려왔나 봐!
YOINK

고블린,
잠깐만!
잡았다—
RRUUMM
KA-BOOOOOOOM

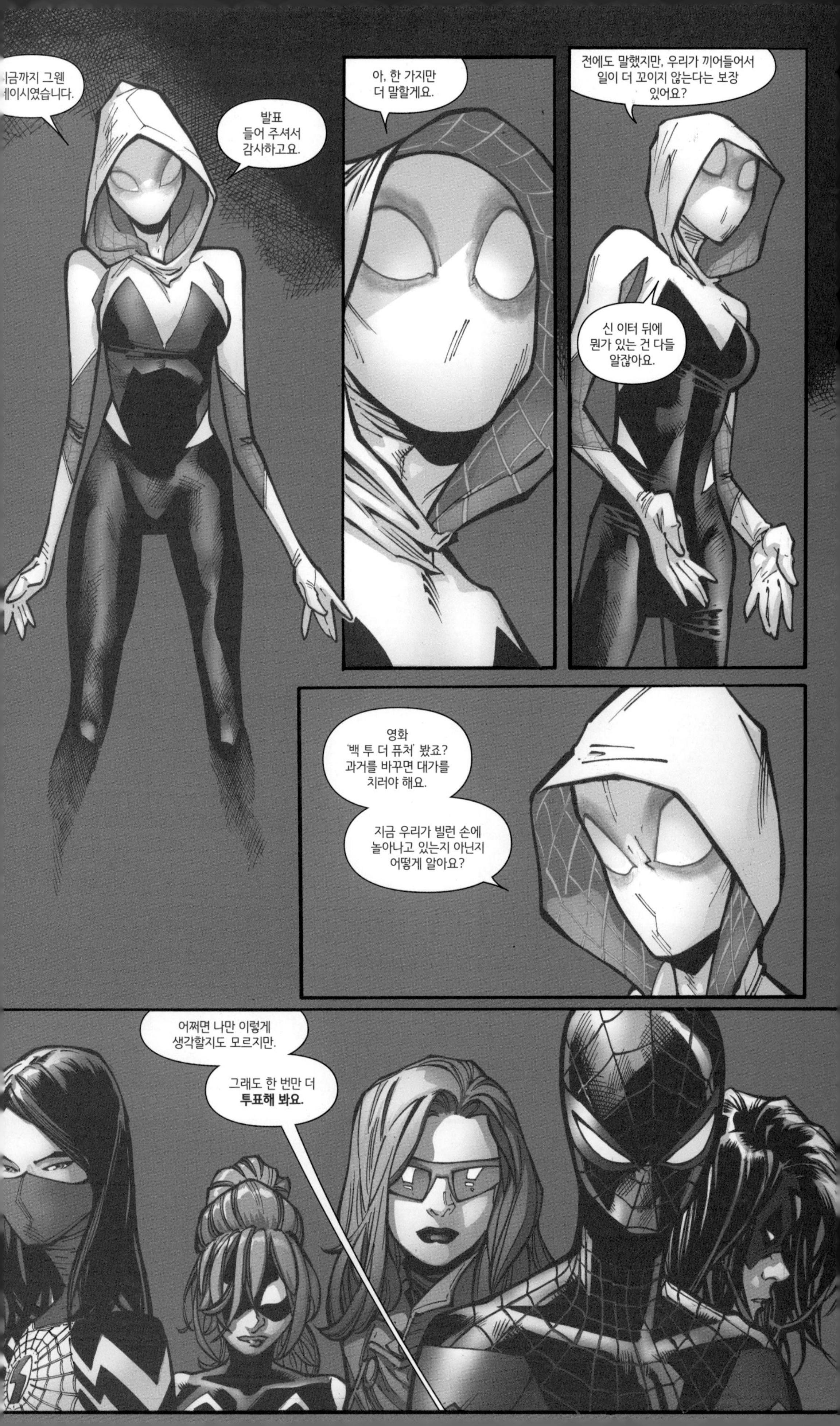
지금까지 그웬 스테이시였습니다.
발표 들어 주셔서 감사하고요.
아, 한 가지만 더 말할게요.
전에도 말했지만, 우리가 끼어들어서 일이 더 꼬이지 않는다는 보장 있어요?
신 이터 뒤에 뭔가 있는 건 다들 알잖아요.
영화 '백 투 더 퓨처' 봤죠? 과거를 바꾸면 대가를 치러야 해요.
지금 우리가 빌런 손에 놀아나고 있는지 아닌지 어떻게 알아요?
어쩌면 나만 이렇게 생각할지도 모르지만.
그래도 한 번만 더 **투표해 봐요.**

우리가
처음 만났을 때를
기억하냐,
피터?

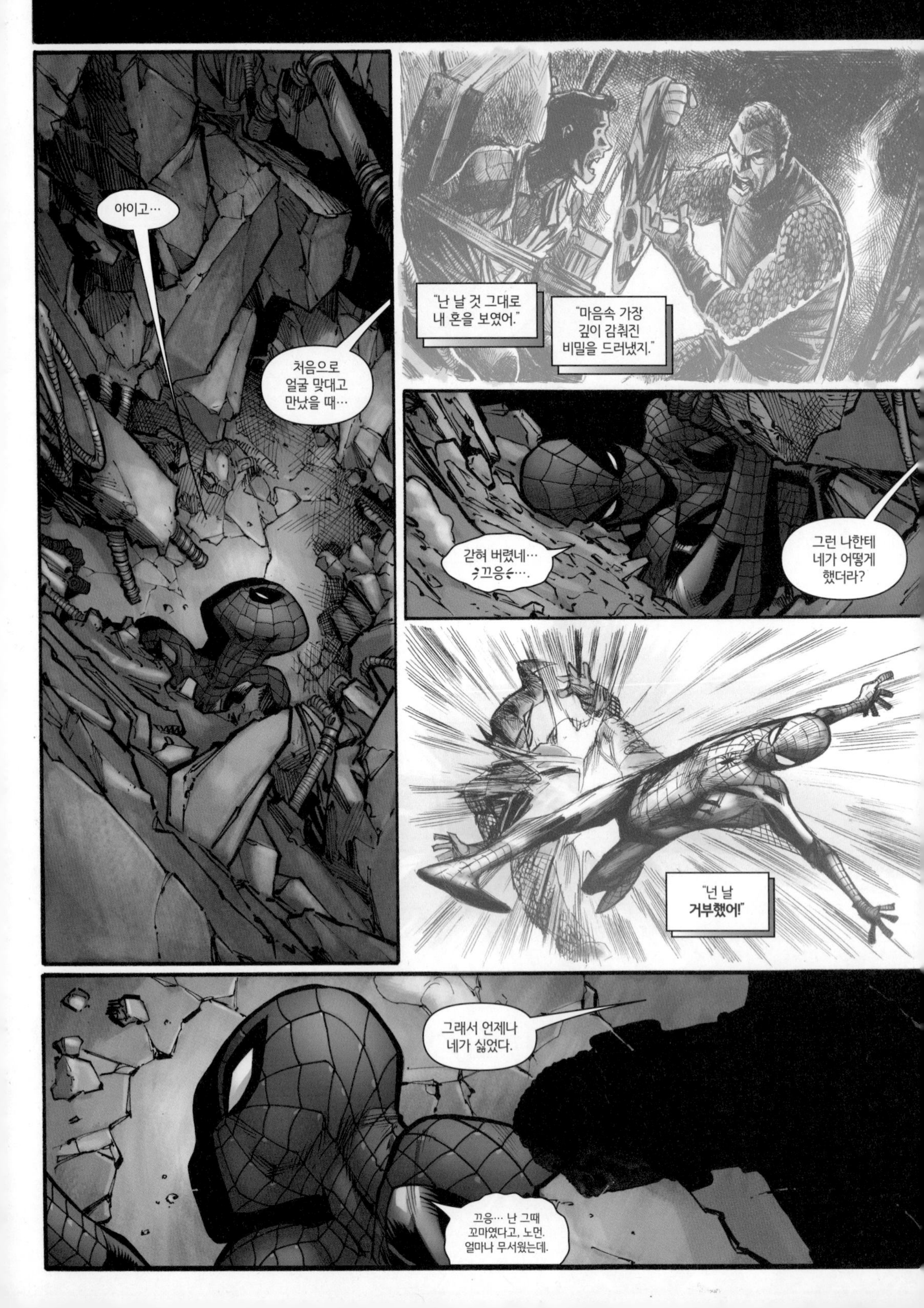

나도
마찬가지였어!
내가 처음 혈청을 맞고
어땠는지 넌 상상도 못 해.
환청에, 부작용까지…
내 몸을 가눌 수 없었어.
너무나 두려웠지.
그러다
널 만난 거야. 나처럼
마스크를 쓰고 하늘 위에서
춤을 추며 농담꾼을
자처하는 너를.
너라면 날 이해할 줄
알았다. 마음속에 있는 짐을
혼자 짊어지지 않아도 될 거란
생각이 들었어.
그래서 내 나름의 뒤틀린
방식대로 네게 접근했지. 그래,
난폭했다는 건 인정해. 다 제정신이
아니어서 그랬다고! 하지만
거절당했다는 그 사실은…
…날 무너뜨렸어.
마음은 산산이 조각났고,
갑자기 기억상실증까지
생겼지. 하지만 기억이
돌아오고 나니…
너에 대한
미움이
가득 찼어.
그리고
또 다른 이유도
생겼고.
"넌 날 물리치고
싸움에서 승리한 후…
불타는 연구실에서…"
"…나를
구했어."
그 사실에 내가
얼마나 분노했는지
넌 모를 거다,
피터.
너무나 깊은 상처를
받는 것도 모자라 네게
목숨까지 빚졌으니
말이야.
하지만
오늘부로…

…빚은
다 갚았다.

가자,
피터.

으윽… 어디로
가는 거지?
네 작전이
먹혔어.

"적어도 지금 당장은."

"지하에 선착장이 있다고
아까 말했지?"
WHOOSH

네가 깜짝 쇼를
벌인 덕에
바로 앞까지 왔어.
으윽…
운 좋았네….
정말
운 좋았지,
벽타개.

여기로
나갈 거야.
이게
무슨…?

여, 여긴 또 뭐야?
내가 일 벌이기 좋아하는 거 알잖아.
이건… EMP 방출기잖아…. 이렇게 큰 건 처음 봤어.
이거면 동부 해안 지대 전부를 정전시킬 수 있겠는데….
맞아….
굳이 그렇게 크게 벌일 생각은 없었지만.
무슨 꿍꿍이였는진 몰라도 아주 좋지 않아. 그치만 당장은…

발등에 떨어진
불부터 처리하자.
WHOOOOSH
WHOOOSH
이제.
도망칠 곳은.
없다.
안타깝지만
맞는 말 같네.
흥.
그렇다면…
끝까지
가는 건가?
끝까지
가는 거지.
THWIP

그린 고블린의 귀환:

3부

선택의 결과

정말 이상한
노릇이다.
TK
THWIP
설명할 수는
없지만…
…저승 문턱에 서니,
노먼이랑 내가…
KRAM
FWAM
…한 팀이 되어
싸우는 법을 익혔어.
이게 도대체 무슨 일이람.

준비됐냐,
벽타개?
THWIP
서빙해 주세용,
오스본. 이야…
…항상 맞는
처지였는데, 이번엔
던지게 돼서
참 다행이네.
BWA-
BOOM
내 숙적과
쿵짝 맞추는 데
생각보다 큰 의미가
있을지도 몰라.
지금 그게
중요하겠냐마는.
KA-
THROOOOM

저거너트랑
싸워서 이겼던 적
있잖아?
쉽지 않았지.
거기다 여긴 덜 굳은
콘크리트도 없고…
아—
저거다! EMP용
압축 발전기!
불 끈다고
저거너트를 어떻게
막겠냐?
아니, 발밑에다
쓰면 되잖아.
힘의 방향을 돌려서
진동을 일으키려는 거군.
땅에 진동이 일어나면…
…토양 액상화가 뒤따르니까.
그러려면
정밀한 계산을
해야 하는데, 시간이
너무 촉박해.
할 수
있겠어?
내가 만들었는데
못 하겠어?
이것 좀 봐라. 스파이더맨과 그린 고블린이
힘을 합쳐 싸우고, 과학 지식으로
적을 무찌르려고 하다니. 아, 노먼…
…어쩌면 우린 이렇게
살 수도 있었는데.
내 입으로 꺼냈지만,
실패할 수밖에 없는 무모한
작전 같아. 그래도…
…시도는
해 봐야지.
스탠,
멈춰!
THWIP

이렇게
할 필요 없어.
애초에 내가 그랬잖아. 널 저버린 건
나라고.
나랑 오래
알고 지낸… 어떤 분하고
얘기를 나누고 나서야 내가
얼마나 너한테 모질었는지
알게 됐어.
"병원에서 퇴원했을 때,
넌 나한테 연락했지."
"도움이 필요하다는
너를… 난 믿을 수
없다며 밀어냈어."
그때 난…
너무 화나 있었어.
두려웠거든.
항상 두려웠어.
너나 고블린 같은
누군가가 내게서 무언가를
앗아 갈까 봐….
내가
또 무언가를
그르칠까 봐.

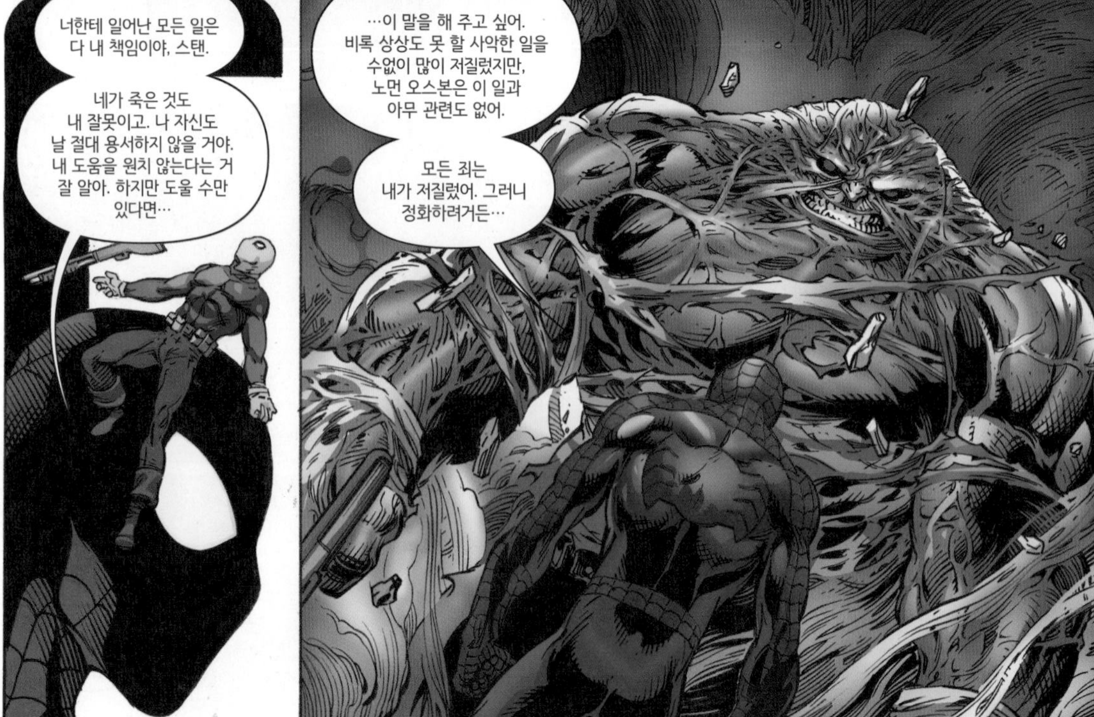
너한테 일어난 모든 일은
다 내 책임이야, 스탠.
네가 죽은 것도
내 잘못이고. 나 자신도
날 절대 용서하지 않을 거야.
내 도움을 원치 않는다는 거
잘 알아. 하지만 도울 수만
있다면…
…이 말을 해 주고 싶어.
비록 상상도 못 할 사악한 일을
수없이 많이 저질렀지만,
노먼 오스본은 이 일과
아무 관련도 없어.
모든 죄는
내가 저질렀어. 그러니
정화하려거든…

…날 정화해.
…
난…
KRAK
…그분의 뜻을 따를 뿐이다!
노먼, 지금이야!
KLIK
시스템 전원 가동.

벽돌 수백 개로
때리는 듯한
첫 번째 충격파가
터져 나온다.
그리고 뒤를 이어
충격파가 계속
흘러나와 머릿속을
사정없이 두들긴다.
이 작전이
성공하려면…
…내가 시간을
벌어야만 해.
안 돼!
…

너무 강해.
막을 수 없는 힘이
내 몸을 짓누른다.
막을 수 없어.
하지만…
막아야 해.
힘내라, 피트.
싸워.
맞서 싸워!

뼈가 부러지기
시작했어.
으아아아아악!
하지만 그 틈으로
뭔가 느껴진다.
발밑
땅이….

무슨…?
무슨 짓을 한 거냐?!
뻔한 묘기 좀
부려 봤어. 이걸로 널
영원히 막을 순 없지만…
…당분간은 못 움직이게
할 수 있지.
멍청한 자식!
저놈 때문에 목숨을
버리겠다고?!

아니,
노먼이 아니라…
…모두를
위해서…
…선을 위해서야.
그래, 평범하게
살 수도 있었지.
아니…

그냥 빠져나와서
살면 되는 거 아니냐?!
THWIP
SLIK
(그래, 말로는
쉽다니까.)
노먼…
얼른 나 좀…
…도와줘.
아니,
어이가 없네.

약속은 어쩌고,
노먼?
약속? 아까 분명히
말하지 않았나?

빚은
다 갚았다고.

이런 결말을
바란 게 아니었지만
이해해 주길 바란다,
피터.
주변을 한번 봐. 이렇게
성대한 계획을 짜 뒀잖아….
온 세상에 진정한 영웅이 죽는 꼴을
보여 줘야 했는데. 너라면 그 정도
대접은 받아야지.

아쉽게도 진흙탕에
빠져 죽는구나.
근데 사람이 살면서
어떻게 바라는 일만
겪을 수 있겠어?

나도 결국은 인생에
좋은 일만 있진 않다는 걸
알게 되겠지.
노먼—
안 돼…

…그만…

뭐?

그웬?
마일스?!

이거 무슨…
깜짝 파티
같은 거예요?
그런 거면
타이밍 진짜
끝내줬는데.
시스템
가동 중지.
실은
구출 임무였어.
선제 타격
임무이기도 했지.
근데
중간에 의견이 조금
엇갈렸어.
네가 큰 위험에
빠졌다는 건 알았지만,
언제, 어떻게 개입할지가
문제였지.
잘 이해가 안 되는데… 신 이터 때문에
왔다는 거예요, 아니면—
노먼 때문에.
애초에 노먼을 신 이터한테
넘기냐, 마냐 가지고 의견이
갈렸던 거야.

거의
넘길 뻔했고.
그럼 어떻게
됐다는 거야?
제가…

…이건
당신 사명인 만큼
우리가 끼면 안 된다고
했어요.
벌써
후회 중이고요.
이제 남은 문제는
이 인간을 어떻게 처리할지
뿐이에요.
아, 피터.
다행히 살았군.
내 말이 **맞지?**
결국 다 잘 풀릴
거랬잖아….
…우리 둘이
붙어 다니기만 하면.
얼른
탈출부터 하자.
곧 있으면
무너질 거야.
신 이터도
몇 분 정도면 저기서
빠져나올 거고.

이거 조종할 줄
아는 사람?

에헴. 이걸
만든 사람으로서,
기쁜 마음으로 도와줄
의향이 있는데—

노먼.
가만히 있어.

어디로
갈지만 알면
내가 어떻게든 몰 수
있을 것 같아.

아무 데나 상관없어요.
허드슨강 쪽으로 빠질 테니
일단 빨리 출발하죠.
함정이 오래 버티지
못할 거예요. 신 이터
마지막 싸움을
벌이기 전에…

"…이 불쾌한
손님이 숨을 곳을
찾아야 해요."
쿵
쿵쿵
미안하지만, 아까
의도치 않게 말을 엿들었거든.
누가 네 이름을
말하던데…

…'그웬'?
그웬이라….
진짜 그웬 맞지?
이런, 이런.
소문 듣긴 했지만, 널…
…진짜 만날 줄이야. 이렇게나 가까이서. 아, 이거 미안하군. 약간 좀…
…들떠서 말이지.
완전히 똑같은 건 아닌데도.
정체가 뭐지? 자칼의 클론인가? 다른 차원에서 왔나? 내가 아끼던 그 그웬은 아니잖아?
난 당신하고 아무 관계 없어.
맞아, 없지.
근데 조금만 기다려 봐.
너도 분명 알겠지만, 나랑 그웬 사이엔 문제가 좀 많았거든.
그래도 좋은 점만 보는 편을 선호하긴 해.
너!

당장 떨어져.
하아 알았어. 근데 아까는 움직이지 말라며? 이것 참…
…이제 막 서로 알아가려던 참이었는데.
말 걸지도 마. 쳐다도 보지 마. 알아들었어?
미안한데…
…그럴 필요 없어요. 진심으로.

계속 말해 봐. 무슨 말 하는지 끝까지 들어 보게.

아, 아주 화끈한 성격이구만.
옛날이랑 똑같아. 이런, 이런, 피터. 파트너 한 지 얼마나 됐다고 벌써 이렇게 챙겨 주나?
일단은 옆에 잘 모셔 둬야겠어.

물론 너무 가까이 붙으면 안 되겠지. 제일 중요한 작업이니까 공을 들여야 하거든.
입… 닥쳐…
쟤가 아무리 용을 써도 결국 는 건 너랑 나뿐이겠지만. 피터, 래도 약속은 하지. 그날이 오면 최대한 빠르고 고통 없이 잘 보내 줄게.
입 닥치라고 했지!
그 정도는 누려야 하는 여자니까.
'그웬'이라면 전부 다.
뭔가를 숨기고 있겠지.
엠파이어스테이트 대학이잖아?
노먼… 여기서 뭘 꾸미고 있는 거지?
또 누군가를 죽일 거야.
선택은 당신 몫이에요.

선택은
내 몫이다.
이놈을
막을 수도 있었는데,
그러지 않았어.
도망치게 도와줬지.
이제 무슨 일이
일어날지 잘 안다.
항상 그랬으니까.
누군가가
죽을 거야.
누군가가
항상
죽었어.
내 선택 때문에.
내 탓이야.

저… 일단은
진정 좀 하고—
그래, 저 어린
친구 말이 맞아,
피터.
그러다 어디 하나
뚜둑 부러질 수도
있잖아?
참아요.
SLAM

…무슨 짓이에요?

다른 선택을
한 것뿐이야.
아니.
그러기엔
너무 늦었어.
그렇지.

RAMOS
근데 말이야, 피터?
네가 왜 그랬는지
난 알아.

노먼은 절대 멈추지
않았을 거고, 결국
전부 다 죽였을 거야.
네 고결한 원칙도
들이대고, 대화를
나눠 봐도 말이지.
분명한 '해결법'도
알고는 있지만, 차마 그렇게
할 수 없었지?
OTTLEY
직접 마주 보고 상대하는 건
차원이 다른 일이긴 해.
무슨 일이 일어날지…
…뻔히 아니까.
너무 자책하지는 마.
지극히 당연한 반응이거든.
훨씬 더 큰 선을 위해,
더 많은 생명을
살리기 위해 한 가지
잘못을 저지른 거잖아?
그런데 거기에 내가 꼭
덧붙이고 싶은 말이 있어, 피트.
이 말을 반드시
기억하길 바라.
우리가 저지른
죄는…

…아무리 깊이
파묻어도…

…반드시
드러나는 법이야.
계속됩니다!

학교 가자,
학교….
대학교
2학년 때였던가?
그때는 이런 생각을
했었지….
아이고야!
어쩌다 이 지경이
된 거지?
아 참, 어쩌다
이 지경이 된 건지는
잘 알지….
당신에게 필요한
단 하나…
센트럴 파크에 있는
메트로폴리탄 미술관에
왔는데…
파커!
어디 처박혀 있는 거야?
빨리 와! 나 바빠!
…응용 생물리학
수업까지 한 시간 정도
안 남았었지.

저기, 조나? 이거 오래 걸려요? 수업도 있고, 전 보통 범죄 현장을 찍거든요? 이런 데는—
내가 그걸 모르겠냐, 파커? 정직원 사진작가가 있었으면 널 왜 데리고 왔겠어?
데일리 뷰글도 이번 전시회를 지원했고, 나 J. 조나 제이머슨이 뷰글의 편집장인 이상…
…스타랑 날 같이 찍은 사진 없이 기사를 낼 순 없지!
어… 스타요?
귀 안 파고 다니냐, 파커? 그래, **스타!** 저기 있네!
캐피스탄 스타!
괜찮은 헤드폰이네요.
무슨 노래 들어요?
캐피스탄 스타는 지구에서 가장 큰 루비입니다! 수십 년 동안 행방이 묘연했다가, 다시 발견된 후 파괴됐지만 이렇게 복원에 성공했죠!
고대 전설에 따르면 캐피스탄 스타는 신비한 영을 불러내 사람을 조종할 수 있다고 해요.
그러니까 다들 눈으로만 봐 주세요!
파커, 사진 안 찍고 뭐 해!
어… 옛날 비틀스 노래요. **'아무 데도 없는 사람'**이나 **'나는 루저'**….
'저기 선 그녀를 보았네' 같은 거요?
네? 아, 네. 전… 피트라고 해요. 피터 파—
파커랬죠? 들었어요. 상사분 목청이 커서. 전 주디예요.

아하.
'헤이, 주드'…
하하! '제 생각을 말해 줘요…'
'그대와 춤을 춰 기쁘답니다.'
'언제든'!
'그대여, 언제든 내 차를 몰아도—'
엑!
어휴, 실수했네요. 전 차는커녕 면허도 없는데—
크아아아!
뭐죠…?
이런….
이 몸이… 부활했도다!
요렇게 된 이야기다.
미지의 전설 때문에 신물이 나! 왜 다들 모르는 거야!
미지의 전설이랑은 엮이면 안 된다고!
대판 싸우고, 밖으로 유인해서 공원으로 끌고 나왔더니… 사방팔방에 딸기가 자랐다. 누가 이렇게 될 줄 알았겠어….
우왓.
나는… 군집 의식의 메시아, 레드 라자다!
날 받아들여 군집의 일원이 되어라!
이 몸의 자애로운 의지가 통합 군집 의식을 이끌 것이다!
STRAWBERRY FIELDS

'통합 군집
의식'이라니…
별론데.
라자 얘기는
어디서 본 적 있어. 헐크
아니면 닥터 스트레인지랑
싸웠던 걸로 기억하는데. 둘 다였나?
자기 나름대로 통일된 조화를
추구한다 그랬지.
다행히 헤드폰에서
저주파 불협화음이 나오도록
조정해서…
저기
아래에 있는 사람들처럼
세뇌당하지 않았어!
조나를
당겨서 꺼낼 수
있을지도…
어이, 라즈! 세계 평화가
좋긴 한데 자유 의지 없으면
무슨 소용이야!
이 사람 좀
데려갈게—
THWIPP
하! 벽 타는
병신 같으니!
엥?
거미줄을…
먹었어!
멍청한 놈!
세상은
통합돼야 해!
단 하나의 영혼만이
곧 행복인 법! 아무도
날 막을 수 없어!
특히 너, 복면 쓴
위험인물 따위는!
어우, 으스스한 목소리. 근데
아직 조나는 멀쩡한가 보네?
라자가 조종하기만
하는 거고—

뭐여—?
SPLATT
미쳤어! 이걸
통일된 평화라고 불러?
사람들을 자기 군대로
쓰면서?!
엥,
저거…?
메리 제인이랑
조 로버트슨이잖아! 전시회
보러 왔다가 저 미친 녀석한테
잡힌 게 틀림없어!
주디까지 있네.
아니, 나한테
뭘 집어던질 거면
알고 지낸 지
최소한 일주일은 돼야
하는 거 아닌…
…가?

CHOMP

아, 좀!
조나!
당신은 해방, 자유 언론,
그 외 좋은 거 전부
다 잘하는 사람이잖아요!
이런 사람 아니잖아!
흥!
넌 끝났다,
거미줄머리!
다 끝났어…
…이제 모든 것이 개인의식을,
개인주의의 저주를 벗어난다!
신봉자들이여!
대답하라!
함께하라!
행복을
배워라!
군집의
일원이 돼라!
GLPPP
윽!

어처구니가 없네.
거대 식인 딸기한테 잡아먹혀서는 잔뜩 뒤틀린 비틀스 노래가 조화니 화합이니 하는 소리나 듣고 있다니…
…비틀스가 이런 걸 조화라고 생각하진 않았을걸!
거기다 조나가 잡혀 있어! 조나한테 바로 달라붙어도, 날 너무 싫어해서 내 말은 전혀 듣질 않을 텐데…
아하! 바로 이거다!
이거면 먹히겠어!

PAFF

조나! 내 사랑!
내 손을 꽉 잡아주세요!
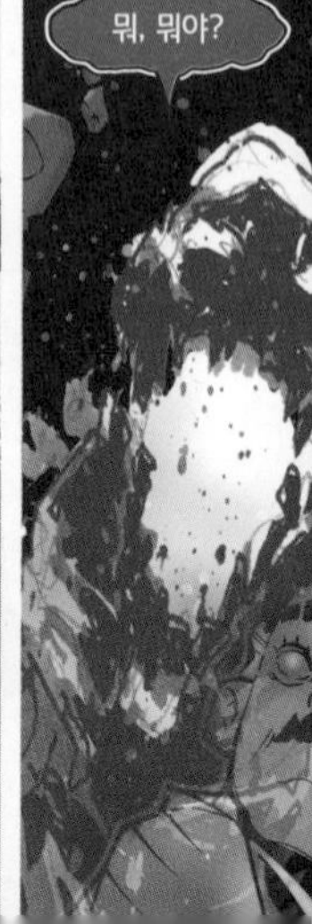
뭐, 뭐야?

항복할게요, 조나! 나도 끼워 줘요! 영적인 행복, 만만세! 당신이랑 나랑 둘이서 **영원히 함께해요!**
아니, 잠깐만—
그건 **사랑의 힘이야! 넘치는 제 사랑을 잔뜩 드릴게요! 우리 둘은 행복하게 살 거예요!**
아니, 안 돼—
돼, 돼!
마, 망할 거미줄대가리—

PBLATCCCHHHHH

먹혔…나?
이야, 내일 당장 비틀스 전집 사야지!
엥?
무슨 일이—
허억— 허억—
스파이디가 우릴 구한 건가?

아니야! 스파이더맨은 아무것도 안 했어! **아무것도!** 세뇌는 나 혼자서 푼 거야— 이 세상을 구한 건 **내 의지력이라고!**
저놈이 나한테 보석을 썼어! 저, 저—
원래대로 돌아왔군….

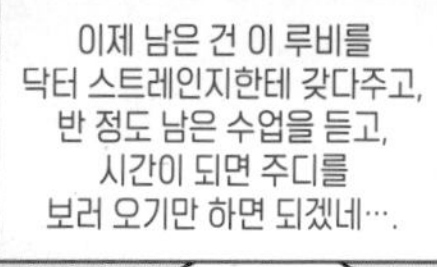
이제 남은 건 이 루비를 닥터 스트레인지한테 갖다주고, 반 정도 남은 수업을 듣고, 시간이 되면 주디를 보러 오기만 하면 되겠네….

조나, 조나, 조나.

오늘 우리 둘 다 아주 중요한 걸 배웠죠. 노래 가사 속에 다 있었는데, 동잔 밑이 어두웠어요. 하지만 이젠 잘 알게 됐네요.
가 옳은지는 이미 알고 다는 걸요.
뭐?
뭐라고?

IMAGINE

끝

하늘을 보라…. 별이 보이는가? 뉴욕에선 별이 안 보이지! 오늘 밤 뉴욕은 번쩍이는 전광판과 흐릿한 반달이 빛나고 있다!
이 아름다운 맨해튼 야경 위로 산들산들 생기 넘치게 불어오는 바람을 만끽하며, 우리의 영웅 어메이징 스파이더맨이 편안하게 줄을 타고 있다!
하지만 이 안락함을 짓밟을 무언가가 나타날 줄은 꿈에도 모르고 있는데….
FOUR SHOES!
포 슈즈
밤공기 좋다! 휴, 온종일 갇혀 있다가 이렇게 나와서 다리 쭉 뻗으면 너무 좋다니까.
그리고 어쩌면… 평안한 밤이 될지도 몰라. 불길한 소리는 하기 싫지만, 너무 평화로운걸! 뱀파이어랑 싸운다든가, 레이저를 넘든가, 리저드랑 부딪히지도 않았다고!
오늘 밤의 주인공은 바로 나임을 선포하노라.
바로 그때…
OOF!
DONK!
어흑!
OOF!
EEF!
F
R

도대체 뭐였지?!
목소리에
머리를 맞은 듯한
느낌이었어!
이런, 저건
또 뭐야?
번쩍이는 큐브가 침묵의 노랫소리를 내며
진동하는 가운데, 멜로디 사이로
개 짖는 소리가 섞여 나오고 있다!
BARK!
BARK!
BARK!
BARK!
이런… 빛나는 큐브에…
'도와줘!'라고 외치는
멍멍이 소리….
마법과
관련된 일이군!
지금까지
히어로 일을 하면서
배운 게 하나 있지.
강물 위에서 번쩍이는
큐브를 발견하면…
내가
구해 줄게!
BARK!
BARK!
BARK
BARK!
BARK!
…위에 올라타라!
끼요옷!

GZZAPPP!
우왓!
마법일 줄 알았다니까! 아님 미스테리오겠지…. 하느님, 제발. 미스테리오는 안 돼요! 너무 싫어.
멍?! 멍이 무엇인가?!
내게 수수께끼 따위 내지 마라, 시끄러운 짐승아! 더는 듣기 싫다!
미친 사람 목소리 같네. 한번 확인해 봐야겠어.
몰래 살펴보자.
마법이 낀 문제는 항상 조심해야 하거든.
드디어…
…수천, 수만 년이 걸려 드디어 잡았다…
이게 뭐야…
드디어 잡았어!
개가 신발을 신었네.
아주 큰 곤경에 처한 모양인데….

멍!
두 번째로 울린 마법의 단어가 스파이더맨의 다정한 혼을 뒤흔들었다!
저 아이야! 아까 들었던 소리 말이야! 좋아, 예쁜 멍멍아, 내가 도와줄게. 어떻게 하면 좋을지 보자….
안 돼! 조용히 해라! 그게 무슨 뜻이냐? 그 저주받은 멍이 무슨 의미인지 기억할 수가 없어!
더는 철자를 대지 마라, 티나 포슈즈! 감히 도망치지도 마라! 지금껏 수도 없이 봤다! 너무 오랜 시간이 흘렀어! 너무 멀리까지 온 게 보이지 않는가? 부탁이니… 더는 도망치지 마라. 그렇지 않으면 나도 어쩔 수…
그때를 기억하나… 우리가 함께…
"그리고 …하기로 했던…"
"잠깐… '멍' 하지 마…."
"멍."
"하늘이 우릴 도와…"
"네가 '멍' 하고 짖었어."
"기억이 홍수처럼 떠밀려 들어온다…."
점쟁이가… 예언이 기억나….
…안 돼….
어떻게 네가 그럴 수 있어?!

갈라진 반달
하늘 아래
대지 위로
눈부신 어둠이 뜨면
한 마리 거미가
너희를
갈라놓을 것이다
갈라놓을 것이다
한 단어가
세 번 울리면
둘은 갈라져
하나로 떨어진다
한 마리 거미가
너희를
갈라놓을 것이다
갈라놓을 것이다
붉은 악마를
푸른 친구를
"멍" 하고 불러라
세 번 짖어라
한 마리 거미가
너희를
갈라놓을 것이다
갈라놓을 것이다

또 말하면 안 돼, 티나!
세 번째 소리가 나면 우린 갈라지고 말아!

멍!

PSH

개한테서 떨어져!

세 번째 '멍' 소리에 모두가 움직였다!
전나무가 울창한 이 숲에서 단 한 번도 볼 수 없던 분노를 품고, 스파이더맨과 티나는 펠리노라와 그녀의 치킨 악마들에 맞서기 시작했다!
THWIP! THWIP! THWIP!
PEOW! PEOW! PEOW!
EEEEEEEEE
PWING

승리했노라!
하! 맛이 어떠냐! 멍멍이를 못살게 구는 건 아주 나아아아아아아…
SOB SOB SOB SOB
아아아, 전쟁에 승자란 없는 것을.
SOB SOB
…나아쁜 행동인데… 내가 완전 나쁜 놈 같잖아.
티나, 미안해. 상처 주려던 게 아니었어…. 부탁이야…
떠나지 마. 내 곁에 있어 줘. 네게도 꿈이 있는 건 알지만…
난… 네가 없으면 우리 사이는 뭐가 되겠어? 임무도 없으면?
쫓지도 않으면?
AWWWOOOOOOOOOOOOOOOOOOOOOOOOOOOOOOOO
TSH! TSH! TSH! TSH!
SOB SOB SOB
SOB SOB
"우리 사이는…"

TSSH
"…어떻게 되는 거야?"
우와아아아아앗!
THWIP!
OOF!
이름이 티나라고? 내가 제대로 들었니?
왈.
티나 포슈즈? 멋진걸. 거기다… 마법사라고?
왈.
짱이다!
블리커 스트리트에 아는 마법사가 있거든? 소개해 줄게.
별이 필요한 자, 누가 있겠는가?
깊이 잠들라, 신실한 열성 팬 여러분.
계속… 될까요?

뉴욕
유니언 스퀘어.
새 미술 연필 세트?!
할아버지, 고맙습니다!
생일 축하한다,
우리 폭죽.
가족의 비밀

와, 이거 진짜 비싼 건데.
이렇게까지 해 주시다니요.
젊은 예술가가 그림을
그리겠다는데 이 정도는
해 줘야지.

항상
제 그림을 진지하게
봐 주시네요.
그렇고말고!
재능 있는 사람은
한눈에 보이거든.

네가 열 살 때,
할아버지랑
같이 노는 모습을
이렇게 그림으로
그렸단다.
옥살이하면서
매일 이 그림을 봤지.
덕분에 힘든 시간을
이겨냈어.
사랑해요,
할아버지.

나도 사랑한다.
그리고—
망할!
왜
그러세요?

"스파이더맨이야!"
THWIP
당장
자리를 뜨거라.
아뇨. 몇 년 동안이나
스파이더맨 때문에
힘들다고 말씀하셨잖아요.
더는 못 참아요.
제가 맡을 테니
할아버지는 얼른
피하세요.
쓸데없는 소리 말아라.
손녀한테 어떻게
쌈박질을 시켜—
비행 슈트도 없잖아요. 지금은
무리예요. 전 슈트 가져왔어요.
엄마도 안 계시는데, 가족은
할아버지뿐이라고요.
또 감옥에
보낼 순 없어요.
절대 안 돼요.
할아버지, 저한테
맡겨 주세요.

아휴!
짜증 나는
비둘기 같으니.
순찰하는 거
안 보이나?
우리 할아버지
건드리지 마!
엥? 넌 또
누구야?
저 비둘기가
너희 할아버지니?

난 스탈링.
당신을 다치게 하고 싶지 않지만, 물러나지 않으면 봐줄 생각 없어.
안녕, 난 스파이더맨이야. 아무것도 안 했지만, 일단 물러날게…?
THWIP
SHINK!
KRAK
브런치 드시는 어르신들 쫓는 거 말곤 할 게 없어?
잠깐 타임! 브런치 모임이 있었다고? 언제— 억!
THUMP
벌처이기 전에 내 할아버지야. 우리 할아버지는 건드리지 마!
VIP! VIP! VIP! VIP!

낮잠 잘 시간이다!
TING
TING
TING
낮잠 자기엔 좀 이른 것 같은— 아야!
VIP VIP VIP VIP
코끼리용 진정제를 맞았는데 어떻게 아직도 깨어 있는 거지?!
내가 보이는 것보다 좀 상남자걸랑. 그래도 너는 너희 할아버지보단 덜 난폭하구나.
아직 싸움은 시작도 안 했으니까 지레짐작하지 마.
저기, 나는… 벌처를 쫓던 게 아니었거든. 근데 이렇게 됐으니 말하는데…
너 정말… 살인자를 감싸려는 거야?
뭐라고?!
우리 할아버지가 나쁜 짓은 좀 하셨어도, 살인마는 아니야!
FWUP
이런 말씀 전하게 돼서… 송구하오나, 너희… 할아버님은 사람을 죽였어.

내가 몇 번 막지 않으셨다면… 더 많은 사람이 죽었어요.
두 눈으로 똑똑히 봤단 말입니다요…
너한테는 할부지지만… 에이드리언 툼즈는 나쁜 사람이야요.
못 믿으면 '벌처'랑 '네이던 루벤스키' 검색하세요. '기본'이나.
저는 잠깐 잠이나 자렵니다. 자는 사람 때리기 없기예요, 알았죠?
할아버지는… 법원이나 뉴스가 거짓말투성이라고 하셨는데…
쿨쿨
…나도 다 알면서 모른 척했던 걸까.
드르렁
끝.

프리 코믹 북 데이 2020

"저기 있다."
"말했잖아.
내가 언제 틀린 적 있어?"
"이건 다 너 때문에
생긴 일이잖아."
"자기야,
마지아 결혼식에서 나 혼자
깽판 친 게 아니라니까."
"그리고 그게 어디
예쁜 아내한테 할 말이야?"
"우리가 언제
결혼했다고 그래!"
"어머?!"
"맹세도 해 놓고선?
다 아무 의미 없던 거야?"
나 왔어,
나 왔다고.
굳이 이런 데까지
올라와야 해?
너무 살벌한데.
"없지! 가짜였잖아!
가짜 결혼이었다고!"
"하하하!"
난 벌처야,
등신아.
거래는 내가
하고 싶은 데서 해.
그리고 겁에 질린
네 꼴이…
…보기 좋거든.
아, 그래, 그래.
물건은?
"아이들을 구하려고 마지아 결혼에 몰래
잠입했는데, 네가… 마지아가 불법적으로
모은 돈을… '압수'하고는 하이드라가 그랬다고
말하는 바람에 길거리에서 전쟁이 났잖아."

가져왔지. 스크럴 공포 가스 수류탄 12개.
버려진 S.H.I.E.L.D. 유치장에서 빼 왔어. 하이드라가 남긴 걸 두고 너희들이 전쟁을 벌이지 않았다면 그대로 거기서 썩었을걸.
"마지아가 외계 무기를 매입하면 저 전쟁은 완전 통제 불능 상태가 되겠지."
"무고한 사람들이 다칠 거야."
음? 미안, 스파이더. 깜빡 잠들었네.
'책임, 의무, 무고한 사람들' 연설 중이었어? 몇 번째야, 도대체?
-어휴- 말하면 뭐 하나?
아무튼, 가자.
…이 몸은 까마득히 높은 곳의 군주이자 하늘의 왕이야!
이 하늘 위 그 무엇도 나한테서 도망칠 순 없어—

WHAMMM
KRSSHH
으억!
팩트…
…호주에는 새를 잡아먹는 거미가 있음.
살벌하지?
스파이더맨! 이 망할—
친구한테 머리통 처맞는 게 잡아먹히는 것보단 낫지 않아, 에이드리언?
보스가 알면 엄청나게 화내실걸….
야야…
…이 서류 가방에 들어있는 거, 뭐야?
물건 가지고 이리 와, 에이드리언.
내가 너 두들겨 패면 어르신들 사이에서 내 평판이 더 떨어진단 말이야. 그래도 괜찮아?
어떻게?!
도대체 어떻게 알고 온 거지?!

내가
알려 줬거든.
안녕,
에이드리언.
으억!
당연히 블랙 캣이었겠지.
스파이더맨의
귀염둥이 쥐새끼.
무례하긴!
벽타개랑 다니면서
어떻게 감히
도둑을 자칭하지?
내가
새비지 식스 자리까지
제안했는데!
난 상습 절도범이라고,
에이드리언.
거절한 건 그냥
네가 싫어서 그랬어.
왜냐면
넌 구리니까.
폭삭 늙었고.
고운 말 써야지,
야옹아.
그러네. 미안,
에이드리언. 네가 늙어서
싫다는 건 아니었어.
구려서 싫은 거지.
멍청한 애새끼들이!
닥치지
못해?!

모자란 것들!
머저리들!
둘이
붙여 두기만 하면!
나불, 나불,
나불!
야, 우리 이따
초밥이나 먹을까?
점심으로
먹었는데.
타코 어때?
크아아아악!
얍! 잡았다!
흥!
내가 그렇게
쉽게 잡히겠냐!
자, 대답해 봐라,
블랙 캣…
응!
…고소 공포증
있나?
BEEP
뻔하긴.
계속해 봐.
바보 같은
공포 가스 수류탄
써 보라고.
신경이나
쓸 것 같아?
하하!
하늘은 이 벌처가
지배한다!

무서워할 것 없어. 잡아 주니까.
항상 그렇거든.
펠리시아! 안 다쳤어?
야호!
완벽하다옹, 스파이더.
구해 줘서 고마워.
다 잡았는데 놓치다니.
난 별로 걱정 안 돼.
너 뭐 했어?!
나? 아무것도 안 했어.
BEEP BEEP BEEP BEEP
망할.
"그냥 왠지…"
"운이 좀 없을 것 같아서."
FOOOSH
끄아아아아악!!!

얼마 후.
점심에 벌써 초밥 먹었단 말이야! 거기다, 또 아스토리아라니!
어휴, 몸에 중금속이 잔뜩 쌓였을 거야.
그만 징징거려. 내가 쐈잖아?
저기, 물어볼 게 있는데, 지금이 딱 좋은 타이밍 같네.
요즘 뭐 하고 다녀?
응? 무슨 뜻이야?
펠리시아,
요즘
뭐
하고
다녀?

'실버 세이블'이 닥터 스트레인지네 집에 몰래 침입했단 소문을 들었는데…
어머, 꼭 친한 것처럼 말하네—
…그다음에 네가 판타스틱 포랑 같이 있었다는 걸 들었어.
외계인 침략을 막았었지.
그리고 대니 랜드가 그러던데, 네가 비틀이랑 자기 빌딩을 털었다고—
나 아무것도 안 훔쳤어.
그러더니 토니 스타크가 잔뜩 뿔이 나서 네 얘길 물어보더라고!
인기 많은 게 내 탓인가?
그리고 마지아 결혼식에 있던 네 부하들! 너랑 처음 만났을 때, 걔들이 나 **두들겨 팼었단 말이야!**
어라, 진짜?
걔들이 허풍 떠는 줄 알았는데….

저기, 파이더…
난 네가 싫어하는 일을 하고, 넌 내가 싫어하는 일을 하잖아.
내가 뭘 한다고?!
빨간 머리 여자들이랑 동거한다든가.
근데 그러고 보니 너 부메랑이랑 다닌다며? 진짜로? 부메랑이랑?
음….
우리 관계… 우정 말이야… 미묘하잖아.
어쩌면 내가 위험한 일을 벌이고 있을지도 몰라. 아니면 모든 게 다 우연의 일치일지도 모르고. 근데 너 나 잘 알잖아. 내가 누굴 해치진 않는다는 거.
맞을 짓 하는 녀석들은 빼더라도.
아무래도 그 대답 말고 다른 건 더 못 듣겠지?
그렇지. 내 걱정하지 마, 스파이더.
너 나 몰라? 주변 사람 걱정이 매일 하는 일이란 말이야.
하!
'걱정' 하니까 묻는 건데, 벌처는 괜찮겠지?
"음, 솔직히…"
"그런 거 누가 신경 써?"

거미가 새를 잡아먹는다!
거미가 새를 잡아먹어!
고양이랑 거미가 새를 잡아먹는다!
끝.

#47 VARIANT BY MARK BAGLEY, JOHN DELL & JASON KEITH

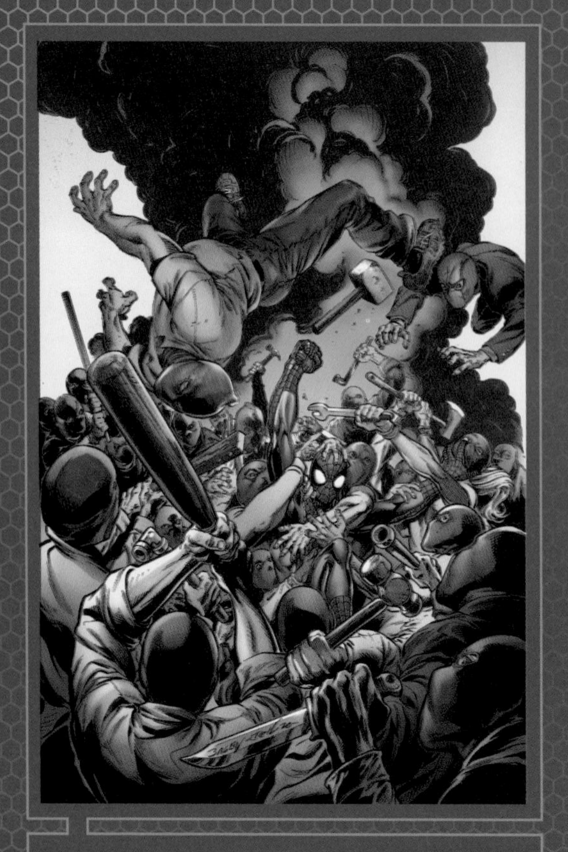

#48 VARIANT BY
MARK BAGLEY, JOHN DELL & JASON KEITH

AMAZING SPIDER-MAN THE SINS OF NORMAN OSBORN
VARIANT BY CASANOVAS

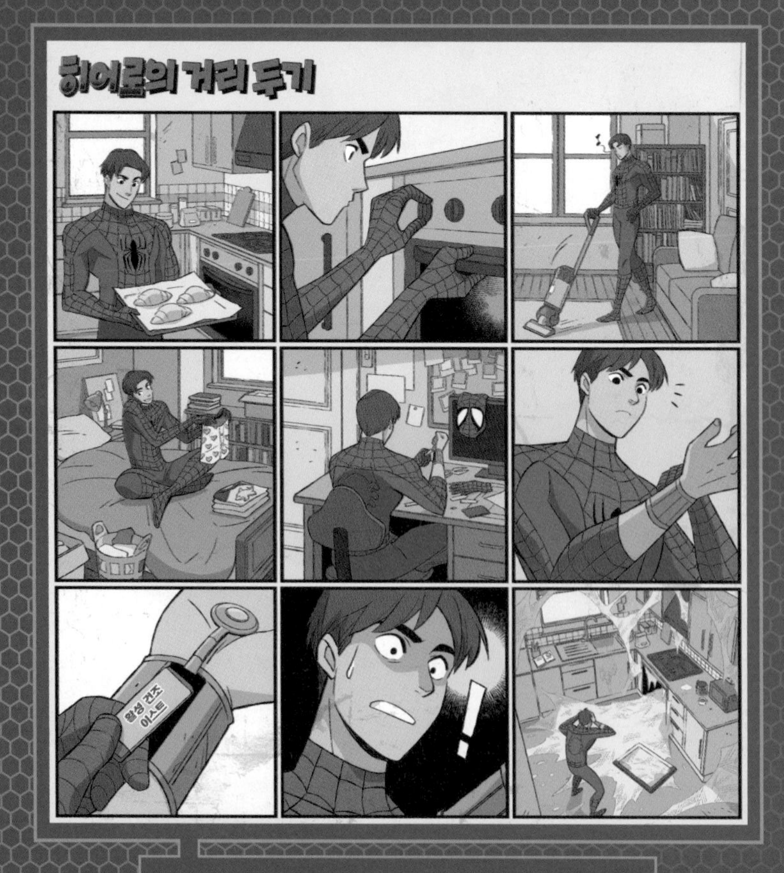

#48 HEROES AT HOME VARIANT BY
GURIHIRU & ZEB WELLS

#49 VARIANT BY
BRUCE TIMM

#49 VARIANT BY
JOE QUESADA, DANNY MIKI & RICHARD ISANOVE

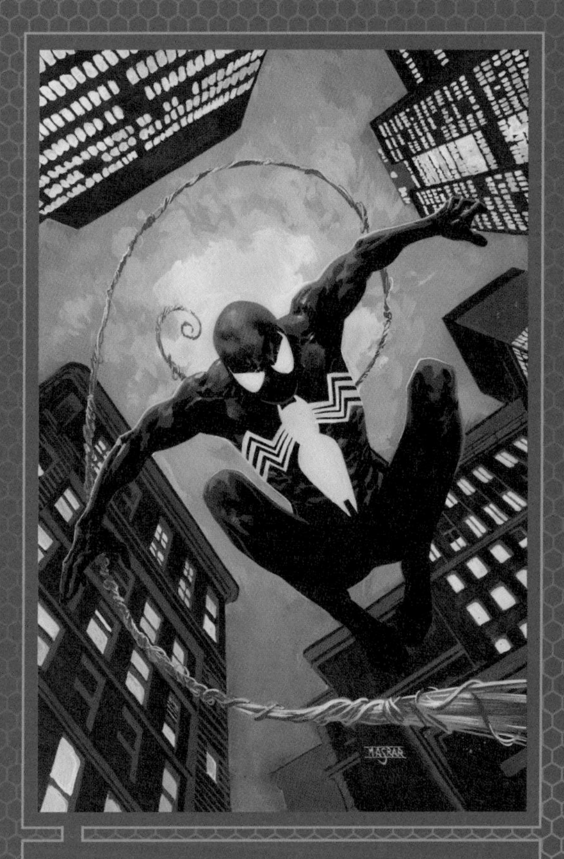

#49 VARIANT BY
MAHMUD ASRAR

#49 VARIANT BY
MARK BAGLEY, JOHN DELL & MORRY HOLLOWELL

#49 VARIANT BY
NICK BRADSHAW & EDGAR DELGADO

#49 VARIANT BY
SKOTTIE YOUNG

#49 VARIANT BY
OLIVIER COIPEL

#49 VARIANT BY
PATRICK GLEASON & EDGAR DELGADO

#49 VARIANT BY
INHYUK LEE

#49 VARIANT BY
HUMBERTO RAMOS & EDGAR DELGADO

#49 VARIANT BY
J. SCOTT CAMBPELL & SABINE RICH

다정한 이웃 히어로의 더 많은 이야기가 궁금하다면?

함께 읽어 보세요!

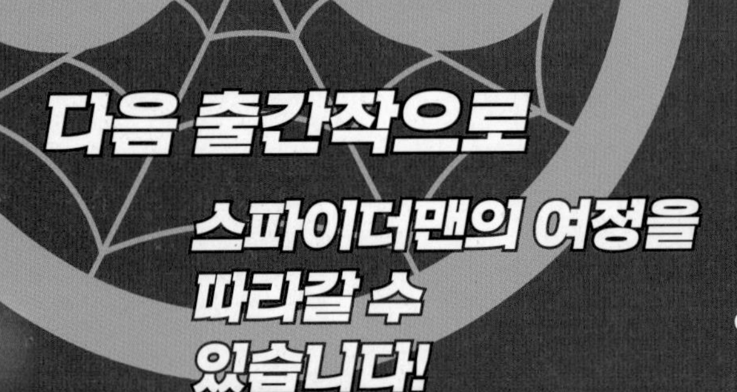

다음 출간작으로
스파이더맨의 여정을
따라갈 수
있습니다!

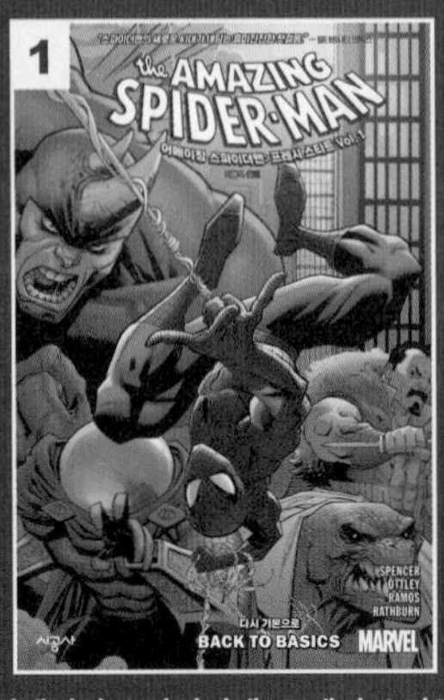

어메이징 스파이더맨: 프레시 스타트
Vol. 1 - 다시 기본으로
닉 스펜서 지음 / 이용석 옮김

어메이징 스파이더맨: 프레시 스타트
Vol. 2 - 위험한 친구들
닉 스펜서 지음 / 이용석 옮김

어메이징 스파이더맨: 프레시 스타트
Vol. 3 - 헌티드
닉 스펜서 지음 / 이용석 옮김

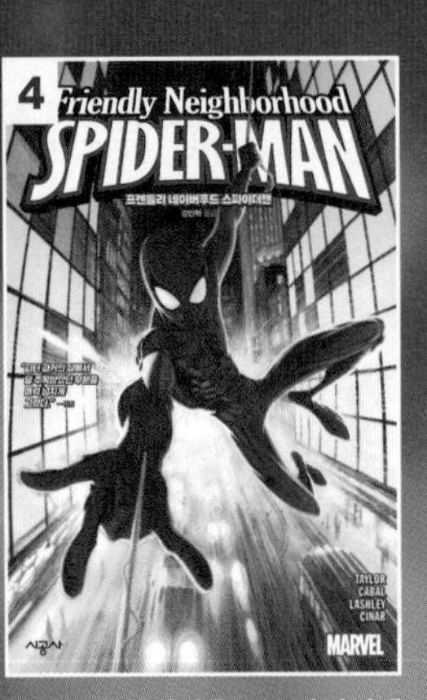

프렌들리 네이버후드 스파이더맨
톰 테일러 지음
강민혁 옮김

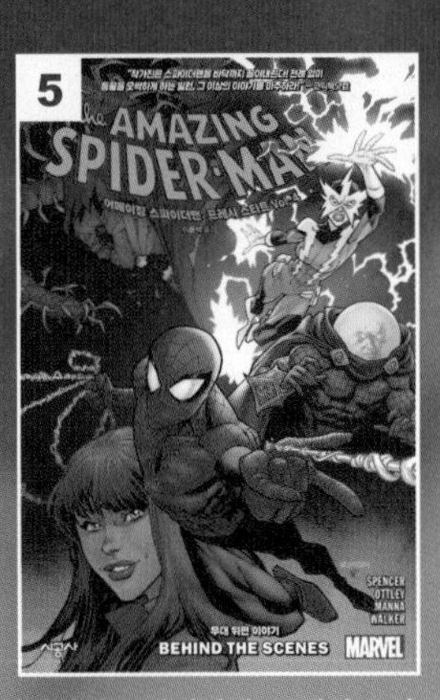

어메이징 스파이더맨: 프레시 스타트
Vol. 4 - 무대 뒤편 이야기
닉 스펜서 지음 / 이용석 옮김

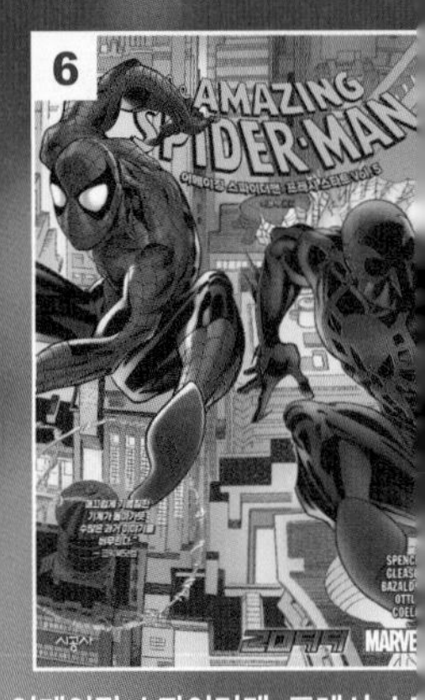

어메이징 스파이더맨: 프레시 스타트
Vol. 5 - 2099 (완결)
닉 스펜서 지음 / 이용석 옮김

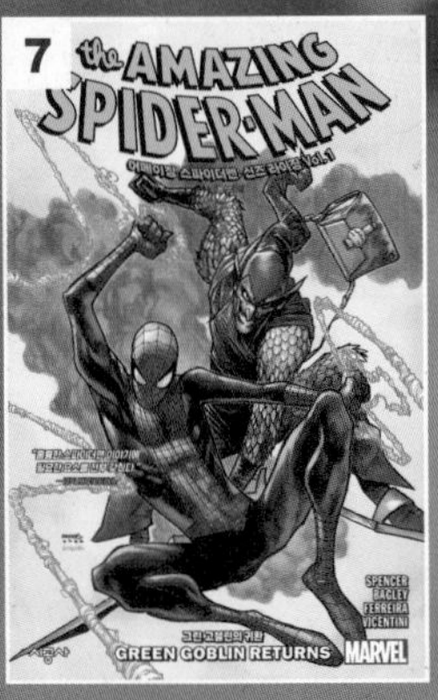

어메이징 스파이더맨: 신즈 라이징
Vol. 1 - 그린 고블린의 귀환
닉 스펜서 지음 / 이용석 옮김

어메이징 스파이더맨: 신즈 라이징
Vol. 2 - 라스트 리메인즈
닉 스펜서 지음 / 이용석 옮김

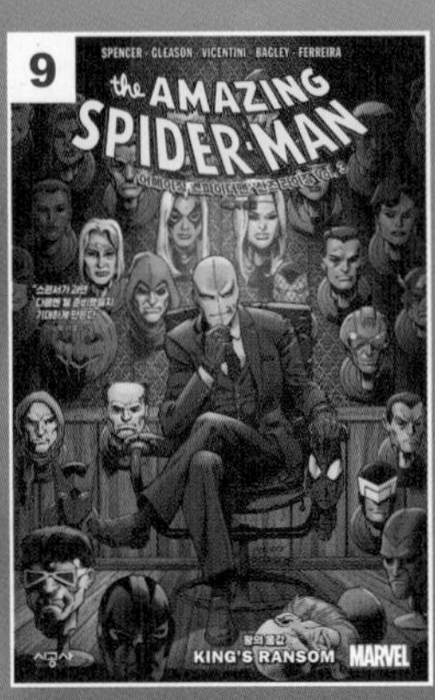

어메이징 스파이더맨: 신즈 라이징
Vol. 3 - 왕의 몸값 (완결)
닉 스펜서 지음 / 이용석 옮김

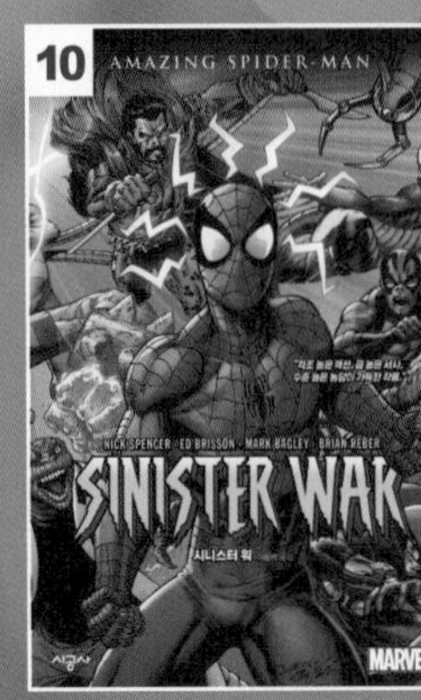

시니스터 워
닉 스펜서 지음
이용석 옮김

SPIDER-MAN
Life Story Annual 1

스파이더맨: 라이프 스토리 애뉴얼 임태현 옮김

시 공 그 래 픽 노 블

클래식

- 마블 테일즈: 어벤저스 #1 80쪽/8,000원
- 테일즈 오브 완다 & 비전 312쪽/22,000원
- 아이언 맨: 병 속의 악마 168쪽/14,000원
- 엑스맨: 다크 피닉스 사가 200쪽/14,000원
- 엑스맨: 데이즈 오브 퓨처 패스트 184쪽/14,000원
- 스파이더맨: 크레이븐의 마지막 사냥 168쪽/16,000원
- 엑스맨: 신은 사랑하고 인간은 살해한다 96쪽/12,000원
- 울버린 144쪽/13,000원
- 데어데블: 본 어게인 232쪽/21,000원
- 인휴먼즈: 타고난 권리로 144쪽/12,000원
- 울버린: 웨폰 X 152쪽/13,000원
- 인피니티 건틀렛 256쪽/19,000원
- 엑스맨: 뮤턴트 제네시스 192쪽/14,000원
- 마블스 248쪽/21,000원

2000년대

- 인휴먼즈 304쪽/24,000원
- 어메이징 스파이더맨
  - Vol. 1 집으로 152쪽/13,000원
  - Vol. 2 탄로 96쪽/13,000원
  - Vol. 3 별이 식을 때까지 144쪽/11,000원
  - Vol. 4 거미의 삶과 죽음 120쪽/10,000원
- 스파이더맨: 블루 168쪽/14,000원
- 헐크: 그레이 168쪽/14,000원
- 데어데블: 옐로우 168쪽/14,000원
- 캡틴 아메리카: 화이트 160쪽/15,000원
- 데어데블 얼티밋 컬렉션
  - BOOK 1 480쪽/36,000원
  - BOOK 2 512쪽/38,000원
  - BOOK 3 (완) 512쪽/38,000원
- 베놈 vs. 카니지 96쪽/13,000원
- 시크릿 워 256쪽/14,000원
- 블랙 팬서: 블랙 팬서는 누구인가? 200쪽/17,000원
- 어벤저스 디스어셈블드 176쪽/13,000원
- 영 어벤저스
  - Vol. 1 사이드킥 144쪽/13,000원
  - Vol. 2 혈통의 비밀 (완) 184쪽/17,000원
- 하우스 오브 엠 224쪽/14,000원
- 엑스맨: 데들리 제네시스 192쪽/16,000원
- 캡틴 아메리카: 윈터 솔저 얼티밋 컬렉션 304쪽/22,000원
- 캡틴 아메리카: 적색의 공포
  - Vol. 1 112쪽/13,000원
  - Vol. 2 (완) 104쪽/13,000원
- 언캐니 엑스맨: 시아 제국의 흥망 312쪽/24,000원
- 이터널스 256쪽/22,000원
- 마블 1602 248쪽/22,000원
- 아이언 맨: 익스트리미스 160쪽/12,000원
- 아이언 맨: 엑시큐트 프로그램 144쪽/13,000원
- 시빌 워 208쪽/14,000원
- 시빌 워: 프론트 라인
  - Vol. 1 208쪽/16,000원
  - Vol. 2 (완) 160쪽/12,000원
- 시빌 워: 캡틴 아메리카 112쪽/13,000원
- 시빌 워: 울버린 168쪽/13,000원
- 시빌 워: 어메이징 스파이더맨 168쪽/12,000원
- 시빌 워: 아이언 맨 112쪽/12,000원
- 캡틴 아메리카의 죽음
  - Vol. 1 꿈의 죽음 160쪽/12,000원
  - Vol. 2 꿈의 무게 160쪽/12,000원
  - Vol. 3 미국을 사 버린 남자 (완) 144쪽/12,000원
- 스파이더맨: 백 인 블랙 336쪽/15,000원
- 피터 파커 스파이더맨: 백 인 블랙 336쪽/24,000원
- 어메이징 스파이더맨: 원 모어 데이 136쪽/12,000원
- 데드풀 & 케이블 얼티밋 컬렉션
  - BOOK 1 424쪽/30,000원
  - BOOK 2 416쪽/31,000원
- 헐크: 플래닛 헐크 416쪽/20,000원
- 아이언 맨: S.H.I.E.L.D. 국장 144쪽/13,000원
- 헐크: 월드 워 헐크 224쪽/14,000원
- 아이언 맨: 헌티드 240쪽/17,000원
- 썬더볼츠
  - Vol. 1 악당을 믿다 192쪽/13,000원
  - Vol. 2 우리 안의 천사 (완) 144쪽/13,000원
- 닥터 스트레인지: 서약 128쪽/12,000원
- 이리디머블 앤트맨
  - Vol. 1 하류 인생 144쪽/11,000원
  - Vol. 2 졸장부 (완) 128쪽/10,000원
- 울버린: 올드 맨 로건 224쪽/19,000원
- 엑스맨: 메시아 콤플렉스 352쪽/16,000원
- 엑스포스/케이블: 메시아 워 368쪽/25,000원
- 엑스맨: 세컨드 커밍 392쪽/26,000원
- 워 오브 킹즈 256쪽/20,000원
- 렐름 오브 킹즈 368쪽/29,000원
- 타노스 임페러티브 200쪽/17,000원
- 뉴 어벤저스: 일루미나티 128쪽/13,000원
- 시크릿 인베이전 248쪽/14,000원
- 다크 어벤저스
  - Vol. 1 집결 160쪽/12,000원
  - Vol. 2 몰리큘 맨 (완) 112쪽/10,000원
- 시즈 200쪽/15,000원
- 시즈: 다크 어벤저스 136쪽/11,000원
- 캡틴 아메리카: 얼굴 없는 사나이 144쪽/11,000원
- 캡틴 아메리카: 로드 투 리본 176쪽/15,000원
- 캡틴 아메리카: 리본 232쪽/19,000원
- 토르 옴니버스 512쪽/37,000원
- 인빈시블 아이언 맨 1 496쪽/36,000원
- 인빈시블 아이언 맨 2 (완) 408쪽/30,000원

2010년대

- 스파이더맨: 마일스 모랄레스는 누구인가? 152쪽/14,000원
- S.H.I.E.L.D.: 영원의 설계자들 192쪽/18,000원
- 판타스틱 포
  - Vol. 1 144쪽/11,000원
  - Vol. 2 112쪽/10,000원
  - Vol. 3 112쪽/10,000원
  - Vol. 4 184쪽/14,000원
  - Vol. 5 208쪽/18,000원
  - Vol. 6 (완) 184쪽/16,000원
- FF(에프에프)
  - Vol. 1 136쪽/12,000원
  - Vol. 2 144쪽/12,000원
  - Vol. 3 128쪽/12,000원
  - Vol. 4 (완) 168쪽/14,000원
- 피어 잇셀프 248쪽/18,000원
- 로키: 저니 인투 미스터리
  - Vol. 1 피어 잇셀프 252쪽/22,000원
  - Vol. 2 테러리즘 신화 (완) 252쪽/22,000원
- 토르 & 로키: 모든 것이 불탄다 2022년 출간 예정
- 영 어벤저스: 칠드런스 크루세이드 260쪽/21,000원
- 어메이징 스파이더맨: 스파이더 아일랜드 376쪽/27,000원
- 어벤저스 vs. 엑스맨 384쪽/28,000원
- 데드풀의 마블 유니버스 죽이기 96쪽/10,000원
- 데드풀의 죽여주는 명작선 96쪽/10,000원
- 어메이징 스파이더맨: 다잉 위시 144쪽/12,000원

마블 나우!

- 타노스 라이징 120쪽/10,000원
- 호크아이
  - Vol. 1 인간병기 136쪽/11,000원
  - Vol. 2 소소한 사건들 136쪽/12,000원
  - Vol. 3 LA 우먼 120쪽/12,000원
  - Vol. 4 리오 브라보 (완) 160쪽/14,000원
- 가디언즈 오브 더 갤럭시
  - Vol. 1 코스믹 어벤저스 136쪽/13,000원
  - Vol. 2 안젤라 168쪽/13,000원
  - Vol. 3 가디언즈 디스어셈블드 160쪽/14,000원
  - Vol. 4 원죄 136쪽/12,000원
  - Vol. 5 거울에 비친 나 (완) 136쪽/12,000원
- 토르: 천둥의 신
  - Vol. 1 신 도살자 136쪽/12,000원
  - Vol. 2 신폭탄 136쪽/12,000원
  - Vol. 3 저주받은 자 160쪽/14,000원
  - Vol. 4 아스가르드 최후의 날 (완) 168쪽/14,000원
- 오리지널 신 240쪽/21,000원
- 토르: 천둥의 여신 232쪽/21,000원
- 로키: 아스가르드의 요원 396쪽/32,000원
- 슈피리어 스파이더맨 컴플릿 컬렉션
  - BOOK 1 348쪽/28,000원
  - BOOK 2 (완) 424쪽/33,000원
- 마블 나우! 어메이징 스파이더맨: 엣지 오브 스파이더버스 112쪽/13,000원
- 마블 나우! 어메이징 스파이더맨
  - Vol. 1 파커의 운수 152쪽/12,000원
  - Vol. 2 스파이더버스의 전주곡 120쪽/10,000원
  - Vol. 3 스파이더버스 168쪽/13,000원
  - Vol. 4 밤손님 (완) 104쪽/13,000원
- 어벤저스 & 엑스맨: 액시스 264쪽/22,000원
- 인휴먼
  - Vol. 1 제네시스 136쪽/12,000원
  - Vol. 2 액시스 112쪽/12,000원
  - Vol. 3 리니지 (완) 104쪽/12,000원
- 앤트맨: 두 번 사는 남자 120쪽/10,000원
- 미즈 마블
  - Vol. 1 비정상 120쪽/12,000원
  - Vol. 2 Why 세대 136쪽/12,000원
  - Vol. 3 반했어요 112쪽/12,000원
  - Vol. 4 종말의 날 (완) 120쪽/12,000원
- 데드풀
  - Vol. 1 280쪽/23,000원
  - Vol. 2 296쪽/25,000원
  - Vol. 3 312쪽/25,000원
  - Vol. 4 (완) 312쪽/25,000원
- 호크아이 vs. 데드풀 120쪽/12,000원
- 어벤저스
  - Vol. 1 328쪽/27,000원
  - Vol. 2 272쪽/23,000원
  - Vol. 3 (완) 288쪽/24,000원
- 뉴 어벤저스
  - Vol. 1 모든 것은 죽는다 152쪽/12,000원
  - Vol. 2 인피니티 152쪽/12,000원
  - Vol. 3 아더 월드 136쪽/12,000원
  - Vol. 4 완벽한 세계 (완) 144쪽/12,000원
- 인피니티 232쪽/20,000원
- 어벤저스: 타임 런즈 아웃 520쪽/40,000원
- 시크릿 워즈 312쪽/24,000원

올뉴 올디퍼런트 마블

- 어벤저스: 레이지 오브 울트론 112쪽/14,000원
- 시크릿 엠파이어 전주곡 248쪽/20,000원
- 올뉴 올디퍼런트 어벤저스 424쪽/33,000원
- 언캐니 어벤저스
  - Vol. 1 잃어버린 미래 152쪽/12,000원
  - Vol. 2 지구에 떨어진 사나이 136쪽/12,000원
  - Vol. 3 시빌 워 II 120쪽/12,000원
  - Vol. 4 레드 스컬 (완) 136쪽/12,000원
- 인빈시블 아이언 맨
  - Vol. 1 리부트 136쪽/12,000원
  - Vol. 2 워 머신 군단 136쪽/12,000원
  - Vol. 3 시빌 워 II (완) 168쪽/12,000원
- 시빌 워 II 296쪽/23,000원
- 시빌 워 II: 후유증 192쪽/16,000원
- 닥터 스트레인지
  - Vol. 1 이상한 자의 길 136쪽/12,000원
  - Vol. 2 마법의 마지막 날들 168쪽/14,000원
  - Vol. 3 에테르에 흐르는 피 136쪽/12,000
  - Vol. 4 미스터 미저리 (완) 136쪽/12,000원
- 닥터 스트레인지 vs. 로키 소서러 슈프림 112쪽/13,000원
- 닥터 스트레인지: 댐네이션 224쪽/19,000원
- 마이티 토르
  - Vol. 1 핏줄에 흐르는 천둥 280쪽/23,000원
  - Vol. 2 아스가르드/시아 제국 전쟁 288쪽/23,000원
- 마이티 토르의 죽음 (완) 336쪽/27,000원
- 문 나이트
  - Vol. 1 광기 120쪽/13,000원
  - Vol. 2 탄생과 죽음 (완) 200쪽/18,000원
- 블랙 위도우 272쪽/22,000원
- 비전
  - Vol. 1 인간보다 못할 것 없는 136쪽/12,000원
  - Vol. 2 짐승보다 나을 것 없는 (완) 136쪽/12,000원
- 닥터 둠: 인퍼머스 아이언 맨
  - Vol. 1 악명 136쪽/13,000원
  - Vol. 2 둠의 속죄 (완) 136쪽/13,000원
- 웨폰스 오브 뮤턴트 디스트럭션 144쪽/12,000원
- 디펜더스
  - Vol. 1 다이아몬드는 영원히 152쪽/12,000원
  - Vol. 2 뉴욕의 킹핀들 (완) 136쪽/12,000원
- 캡틴 아메리카: 스티브 로저스
  - Vol. 1 하이드라 만세 168쪽/14,000원
  - Vol. 2 마리아 힐의 재판 120쪽/12,000원
  - Vol. 3 제국 건설 (완) 192쪽/18,000원
- 시크릿 엠파이어 480쪽/37,000원
- 테일즈 오브 서스펜스: 호크아이 & 윈터 솔저 112쪽/13,000원
- 어메이징 스파이더맨: 클론 컨스피러시
  - Vol. 1 276쪽/22,000원
  - Vol. 2 (완) 240쪽/20,000원
- 어메이징 스파이더맨: 시크릿 엠파이어 320쪽/26,000원
- 어메이징 스파이더맨: 레드 고블린 264쪽/22,000원
- 피터 파커: 스펙태큘러 스파이더맨
  - Vol. 1 황혼 속으로 260쪽/21,000원
  - Vol. 2 어메이징 판타지 (완) 252쪽/21,000원
- 스파이더맨/데드풀
  - Vol. 0 이건 팀업이 아니야 272쪽/22,000원
  - Vol. 1 브로맨틱하지 않나요? 136쪽/12,000원
  - Vol. 2 작은 이야기들 128쪽/12,000원
  - Vol. 3 잇시 빗시 136쪽/12,000원
  - Vol. 4 진지한 일 112쪽/12,000원
  - Vol. 5 무기 경쟁 136쪽/12,000원
  - Vol. 6 WLMD 112쪽/13,000원
  - Vol. 7 두 아빠 152쪽/14,000원
  - Vol. 8 로드 트립 112쪽/13,000원
  - Vol. 9 이벤트풀 (완) 128쪽/13,000원
- 데드풀: 시크릿 엠파이어 248쪽/21,000원
- 디스피커블 데드풀
  - Vol. 1 데드풀의 케이블 죽이기 200쪽/18,000원
  - Vol. 2 마블 유니버스의 데드풀 죽이기 (완) 180쪽/17,000원
- 인빈시블 아이언 맨: 토니 스타크를 찾아서 212쪽/19,000원
- 어벤저스: 노 서렌더 400쪽/32,000원

프레시 스타트

- 타노스 312쪽/25,000원
- 스파이더겟돈 252쪽/21,000원
- 스파이더 그웬: 고스트 스파이더 232쪽/20,000원
- 인피니티 카운트다운 264쪽/22,000원
- 인피니티 워즈 308쪽/25,000원
- 캡틴 아메리카
  - Vol. 1 아메리카의 겨울 152쪽/14,000원
- 토니 스타크: 아이언 맨
  - Vol. 1 셀프메이드 맨 132쪽/13,000원
  - Vol. 2 스타크 리얼리티 (완) 200쪽/18,000원
- 아이언 맨 2020 256쪽/21,000원
- 어메이징 스파이더맨: 프레시 스타트
  - Vol. 1 다시 기본으로 200쪽/18,000원
  - Vol. 2 위험한 친구들 176쪽/17,000원
  - Vol. 3 헌티드 304쪽/25,000원
- 어벤저스: 지구 최강의 영웅들
  - Vol. 1 마지막 호스트 212쪽/19,000원
  - Vol. 2 월드 투어 268쪽/22,000원
  - Vol. 3 워 오브 더 렐름스 200쪽/18,000원
- 토르: 천둥신의 귀환 260쪽/21,000원
- 워 오브 더 렐름스 292쪽/25,000원
- 킹 토르 112쪽/13,000원
- 라이프 오브 캡틴 마블 120쪽/12,000원
- 캡틴 마블 Vol. 1 재진입 168쪽/14,000원
- 베놈
  - Vol. 1 렉스 176쪽/17,000원
  - Vol. 2 심연 200쪽/18,000원
- 앱솔루트 카니지 vs. 베놈 308쪽/25,000원
- 앱솔루트 카니지 vs. 마블 유니버스 200쪽/18,000원
- 이모털 헐크
  - Vol. 1 아니면 둘 다인가? 264쪽/22,000원
  - Vol. 2 지옥에 간 헐크 232쪽/21,000원
- 데어데블: 지옥을 지나 천국으로
  - Vol. 1 232쪽/20,000원
  - Vol. 2 220쪽/19,000원
- 언캐니 엑스맨: 울버린과 사이클롭스 328쪽/27,000원
- 하우스 오브 X 448쪽/36,000원
- 마블 퓨처 파이트 퍼스트 128쪽/13,000원
- 마블 코믹스 #1000 144쪽/14,000원
- 히스토리 오브 더 마블 유니버스 232쪽/21,000원
- 마블 코믹스: 창밖의 세상 320쪽/27,000원
- 스파이더맨: 라이프 스토리 208쪽/19,000원
- 태스크마스터 리디북스 단독 / 각 화 600원
- 샹치: 사형제들 120쪽/13,000원
- 이터널스
  - Vol. 1 오직 죽음만이 영원하다 160쪽/15,000원

965

살다 보면
모든 게 투명하게 보이는
순간들이 있다.
미래가
보이는 순간이.
그날 맥 가간의 눈에서
오직 스콜피온만이 보였을 때,
난 나의 끝을 보았다.

그 전까진
기회가 있었다.
내가 만든
자경단으로 다른
자경단을 해치울
기회가….

사진: 피터 파
러빌런 대결 중 희생자 발
하지만 이를
목적으로 내가
끌어들였던
팔리 스틸웰
박사가—
사장님?

피터가 사진
가지고 왔—
제길, 브랜트!
방해하지
말라고 했을
텐데.

자식은 돈만 밝히는
사진 벌레잖아!
아…
네, 알겠습니다.

그때의 당혹감이
기억난다.
나 때문에
누군가가 죽었다.
젠장,
조나….

…빌어먹을….
그래서 어떻게
했냐고?

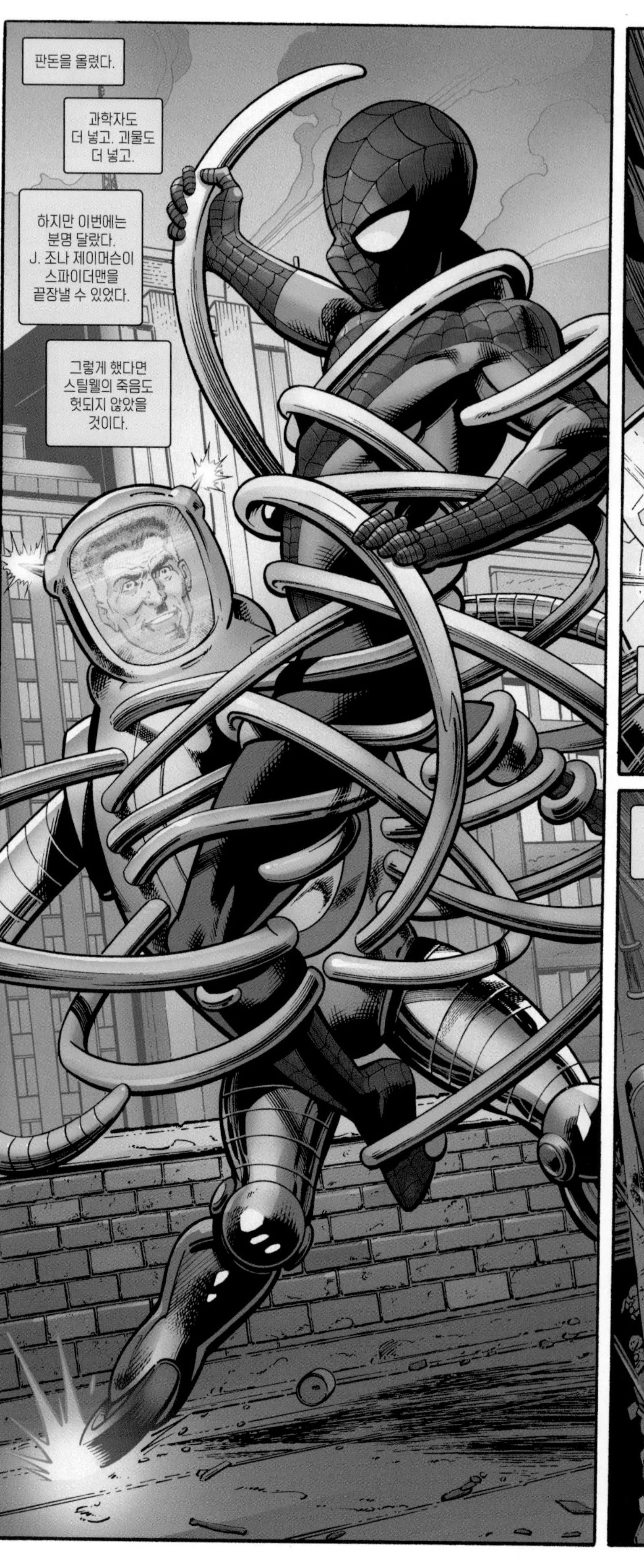
판돈을 올렸다.
과학자도 더 넣고. 괴물도 더 넣고.
하지만 이번에는 분명 달랐다. J. 조나 제이머슨이 스파이더맨을 끝장낼 수 있었다.
그렇게 했다면 스틸웰의 죽음도 헛되지 않았을 것이다.

그러나 결국 난 실패했고.
그는 헛되이 죽었다.

데일리 뷰글은 제국이나 마찬가지였다. 수백만에게 닿는 목소리. 난 그걸 버릴 각오가 되어 있었다. 그건—
제이머슨 씨?

LY BUGL
아니, 이게 무슨? 뷰글에 뭔 일이라도—?
급한 일은 아닙니다, 제이머슨 씨.

미드타운 북부 서 소속, 조지 스테이시라고 합니다.
미리 알려 드리고자 왔습니다.

맥 가간이 어젯밤 탈옥했습니다.
몇 달 전 가간이 이곳 뷰글에서 제이머슨 씨를 습격한 뒤로, 근처에 경관을 배치해 뒀습니다. 제이머슨 씨의 안전을 위해서죠.

그때는 스파이더맨이 구해 줬던 걸로 압니다. 혹시 연락할 방법을 안다면—
조지 스테이시
스파이더맨! 그놈도 날 노리는 살인자요!
대체 당신들은 당장 그놈부터 잡지 않고 뭐 하는 겁니까!

내가 경찰 일까지 대신해야 되나!
이럴 시간 있음 악당들이나 잡아요!
사방에서 벽이 조여들어 오는 게 느껴진다.
하지만 분명 그건 내 손으로 만든 벽이다.

스파이더맨이 날 또 구한 건 사실이나…
…그럼에도 나는 정말이지.

놈이 역겹다.
그 헛소리도.

놈이 지닌 우월함도.

그 잘난 능력도.

1966
노래는 전혀 바뀌지 않은 채,
갈수록 시끄러워지기만 했다.
스파이더맨,
스파이더맨,
스파이더—
DING DONG

스테이시 경감님? 이 시간에— 스콜피온이 또 탈옥했습니까?
아뇨. 잠깐 얘기 좀 할 수 있을까 해서요. 들어가도 됩니까?

그러시죠. 어—
거짓말이라면 거짓말일 수 있겠군요.
맥 가간 일이 맞습니다. 그래요.

저는 곧 퇴직합니다, 제이머슨 씨.
뭔가의 끝자락을 보고 있자니 기분이 묘하더군요. 해결 못 한 일들, 가기 전에 바로잡아야 한다는 압박감이 어깨를 짓누르지요….

맥 가간도 그 끝을 본 듯합니다. 감옥에서 죽기 싫은지 입을 열기 시작했습니다.
제이머슨 씨, 저는 당신을 존중합니다. 그래서 경찰차는 먼 곳에 세워 두었습니다.

1962년, 방사능 거미에 물린
피터 파커라는 이름의 15세 소년은
거미의 힘과 속도와 민첩성, 벽에 달라붙는
손과 발, 그리고 사전에 위협을 감지하는
특별한 **'스파이더센스'**를 초능력으로 얻었다!
비극적인 사건으로 벤 삼촌을 잃은 후,
큰 힘에는 큰 책임이 따른다는 사실을 깨닫고
슈퍼히어로가 되어 범죄와 싸우며 살아가는
그의 또 다른 이름은 **스파이더맨!** 피터는
신문사 데일리 뷰글에 사진을 제공하는 사진
기자가 되었지만, 데일리 뷰글의 발행인이자
피터의 고용주인 **J. 조나 제이머슨**은
스파이더맨을 공공의 적으로 몬다.

WRITER
CHIP ZDARSKY

PENCILER
MARK BAGLEY

INKER
ANDREW HENNESSY

COLOR ARTIST
MATT MILLA

LETTERER
VC'S TRAVIS LANHAM

SPIDER-MAN: LIFE STORY ANNUAL

COVER CHIP ZDARSKY

ASSISTANT EDITOR
MARTIN BIRO
ASSOCIATE EDITORS
ALANNA SMITH & ANNALISE BISSA
EDITOR
TOM BREVOORT

EDITOR, SPECIAL PROJECTS SARAH SINGER
VP LICENSED PUBLISHING SVEN LARSEN
VP PRODUCTION & SPECIAL PROJECTS JEFF YOUNGQUIST
MANAGER, LICENSED PUBLISHING JEREMY WEST
SVP PRINT, SALES & MARKETING DAVID GABRIEL
EDITOR IN CHIEF C.B. CEBULSKI

SPIDER-MAN CREATED BY STAN LEE & STEVE DITKO

스파이더맨: 라이프 스토리 애뉴얼 #1
초판 1쇄 인쇄일 2023년 3월 15일 | **초판 1쇄 발행일** 2023년 3월 25일 | **지은이** 칩 즈다스키 | **그린이** 마크 배글리 | **옮긴이** 임태현 | **발행인** 윤호권 | **사업총괄** 정유한 | **편집** 조영우 | **마케팅** 정재영 | **발행처** (주)시공사 | **주소** 서울 성동구 상원1길 22, 6-8층(우편번호 04779) | **대표전화** 02-3486-6877 | **팩스(주문)** 02-585-1755 | **홈페이지** www.sigongsa.com

967

스파이더맨,
스파이더맨,
스파이더맨—
나는 끝없이
몰락하는데,
놈은 여전히….

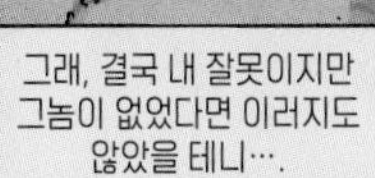
내 머릿속에
있다.

그래, 결국 내 잘못이지만
그놈이 없었다면 이러지도
않았을 테니….

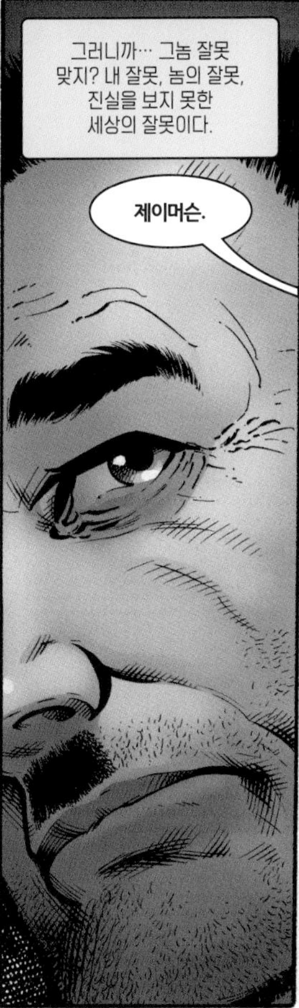
그러니까… 그놈 잘못
맞지? 내 잘못, 놈의 잘못,
진실을 보지 못한
세상의 잘못이다.
제이머슨.

그 위험인물이…
…파멸시킨 거다.
한 선량한 인간과…
면회다.

아들이야.
…그 가정을.

내게서 모든 것을 빼앗는대도
내 아들놈만은 앗아 갈 수 없다.
난 우주
비행사 아들을 둔
아버지니까.

내 아들은
진정한 **미국의
영웅이니까.**

존…
이게 얼마만—
영영 안 오는 줄
알았는데….

아버지.
죄송해요.
그동안—

이번에 휴가
냈어요. 이것저것
정리 좀
하려고요.
이런, 아들아.
설마 나랑
그—
아뇨, 아니에요.
실은… 제가 지난번
우주 유영 때
어떤…

…병에
걸렸어요.
그래서 정신이
엉망이 돼서, 하마터면
사람을 해칠
뻔했는데….

**스파이더맨이
구해 줬어요.**
이번에도.

…아버지?
제 말
들었어요?
말도 안 돼….

날 또 갖고
노는 거야, 나를—
모욕하고— 또—
아버지…?

아니, 어떻게
아직도 그걸
믿어요?!
그 집착 때문에
이렇게 됐는데! 아버지가
4년 전 스파이더맨이 절
도와준 걸 의심해서
이렇게— 이렇게 된
거잖아요!

아냐!
진짜 영웅은 너야!
너야말로 우리 미국을
대표하는 자랑스러운 영웅!
나라를 위한 영웅!
그놈은
법 같은 거 무시하는
광대일 뿐이야!
심지어 복면을,
#$%같은 복면을 쓰고!
누가 복면 쓰는 줄 알아?!
비열하고 못된 인간들이지!
악당! 사기꾼!

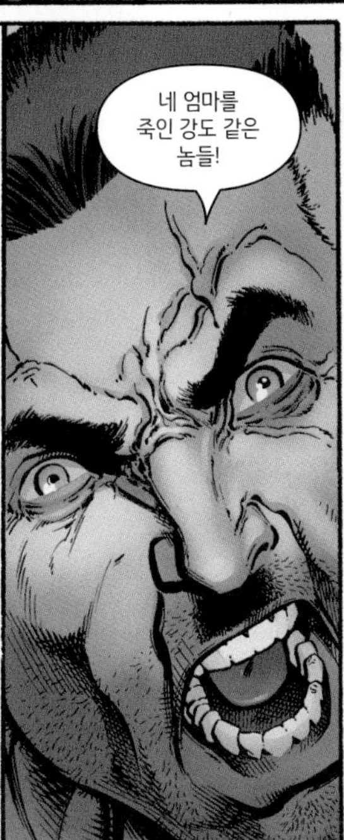
네 엄마를
죽인 강도 같은
놈들!

내 아들은
영웅이다.
그건 누구도,
결코 부정하지
못—
조나?

무슨 일
있어?
나랑…

…게임
한 판 하지
않겠나?

첫 면회 이후
존은 거의
오지 않았다.
지난번에 왔을 땐
아들을, 손자를
데려왔다.
이름은 닐이라고
했다. 존 조나
제이머슨의 줄기가
끊겼다.

난 격노했다.
하지만 왜지? 따지고 보면
화낼 일은 따로 있는데…?
회고록인가?

흥.
그래,
그런 셈이지.
진실을
알려야
하니까.
여전히 그
중심에 있는
건…

…스파이더맨
이고?

그야… 당연
하지 않나,
노먼!
위대한 자의 이야기를
완성하기 위해선
그의 삶을 끝낸 악당
이야기가
필요하니까!
세상 사람
다 몰라줘도
자네만은 이해
해야지…

…'그린
고블린' 씨.
23679
후후.
자네와 난
공통점이 꽤 많은
듯하군.

그래도 난 미치진 않았어.

인정해. 그래도 나름 노력 중이야.
스파이더맨에 관해 물어본 건 혹시 소식을 들었는지 몰라서였다네.
또 무슨? 이번에는 보육원을 **도왔나?** 인질을 **구해 줬어?**

아닌 것 같더군, 안타깝게도… 젊은 여성을 살해한 듯하던데.
누군가의 아내 남편이 자네 옛 직원…

…피터 파커 라고 했던가?

자네가 알고 싶어 할 거 같아서….

그 '회고록'에도 좋은 소재고….
J. 조나 제이머슨은 언제나 옳다. 그래서 너무나 힘들고, 화가 난다….

1978
진실을 보지 못하는 세상 때문에.
BRRRNG BRRRRNG

여보세요?
수신자 부담 전화입니다. 발신인은 라이커스 교정 시설 수감자 조나 제이머슨입니다.
받으시겠습니까?

듣고 계신—?
받겠습니다.

파커! 왜 이렇게 전화를 안 받는—
압니다. 죄송해요. 그냥—

무슨 일이 있었는지 들었어. 진심으로 고인의 명복을 빌겠네.
그… 네, 그래요. 말씀 감사해요.
그래서 말인데….

여전히 내겐 연줄이, 요직에 지인들이 있어!
이번 기회에 우리가 여론을 등에 업고 철저하게 이 빌어먹을 거미 인간을—

—그 살인마
자식을—
조나!
그만해요!
어떻게 아직까지도
그런 생각을—

스파이더맨이
그런 게
아니에요….
그게
아니에요….
젠장, 조나.
제… 아내가
죽었는데…

…그런데도
당신은 어떻게든
당신 분한 것만,
복수할
생각만….
미, 미안하네,
파커.
여기 이렇게…
갇혀 있다 보니
그랬어.
그래도 난
모두를 위해서
이러는 거야….

그놈 때문이야,
파커. 우리 삶의
비극은 전부…
…이유도, 방법도
모르지만….
이제 그만…
그만 잊어요.
스파이더맨도
인간이니까….

그저 사람일
뿐이라고요.
그렇지
않아, 파커.
파커?
당신은 이런
사람이 아니
잖아요….

그러니까
이러지 마요.
파커?!

파커어어어어!!!

992
—매달려 있었다는 걸 깨달았지. 증오에.
하지만 그래서 얻은 게 뭔가? 모든 걸 잃기만 했어.
그 당시 내게 위안은 복수의 열망뿐.
그래도 이렇게… 어느새 다음 주면 나가는군, 캐럴 양. 그동안….
아들이랑 손자랑 볼 생각뿐이었어. 지금은 두 사람이 내 위안이라네.
그래요. 정말 잘됐어요, 노먼.
흥.

조나? 뭔가 하실 말씀 있나요?
다 헛소리야.

그래, 출소 다니 축하하는 해. 잘됐지. 물론.
하지만 우린 모두 누군가에게 패배해 끌려 온 거야. 소위 '슈퍼히어로'니, '자경단'이니 하는 자들 손에!
그러니 놈들을 증오하는 게 당연해.

복면 뒤집어쓰고 법 위에 선 자들이 우릴 감옥에 넣어?
하긴… 댁들은 전부 죄가 있지만…

난 아냐….
조나.
방금 여기 모두가 슈퍼히어로와 자경단에게 패배해 끌려왔다고 했는데…

당신은 그러지
않았잖아요.
당신은 직접 나서서
스파이더맨을
공격하고—
그건 놈이—
악당이니까. 네.
하지만 스파이더맨은
당신에게 아무 짓도
안 했어요. 당신은 당신이
저지른 죄로 체포됐죠.

우리가 이런
시간을 가진 지,
이제 한 5년째
인가요?
때때로 당신은
안에 숨겨 뒀던
진짜 모습을 보여
주곤 해요.
겁먹은 자. 무력한 자.
당신은 아내가—

그만.
복면을
쓴 자에게 살해
당했다고 했죠.

당신도 이곳
사람들과 다르지
않아요. 다만
당신을 이곳에
끌고 온 건
스파이더맨이
아니라…

…자기 자신이죠.

그걸 인정해야
증오를
몰아내고—
조나!
난 아들에게
책임의 중요성을 주입하려
노력했다.

1995
그게 내 삶의 방식이었다.
이기든 지든, 내 책임인 것.
그렇다면 이렇게 여기서 세월을 허비한 건…

…어떻게 설명해야 할까? 나는―?
이런!

누가 좀―

여기 있어요.
캐… 캐럴 양. 고, 고―

괜찮아요.
안 그래도 찾고 있었거든요. 실은 좀… 안 좋은 소식이 있어서….

아무래도 노먼 오스본이 사망한 것 같아요.
여기 있는 동안 그래도 두 사람이 가깝게 지냈던 걸로 아는데, 이걸 전해 달라는 내용이 유언에 있었다더군요.

그래…
고맙군.
어쩌다…?
심장 마비
였대요.
51348

무슨… 창고 같은 곳에서
시신을 발견했는데…
거기, 그 안에…
그… 예전 '물품'이
있었다더군요.
그럼—

전 이만.
왜—
자네 괜찮나…?
모르
겠어요.

사실 저는 노먼이
제가 하는 이 일,
과거를 잊고 현재를 살게
하는 일의 표본과도 같은
존재라고 생각했어요.
하지만
허망하게도 결국
이렇게… 과거로
돌아가고
말았네요.

그건
모르는
거야.
어쩔 수 없이
과거에… 둘러싸이고
마는 사람들도 있어.
좋든 나쁘든.

어쩌면 나이를
먹을수록 남는 건…
…과거밖에
없을지도.
조나…

…이 원고도 그래서 쓰는 거예요?
스스로 과거에 둘러싸이고 싶어서?
그래, 그랬지. 시작은.
난 어쩔 수 없는 언론인이야, 캐럴 양. 처음부터 내가 추구했던 건 오직 진실뿐이었어.
발행인이 되고, 스스로 기사를 쓰지 않고부터는… 객관적인 진실보다…
주관적 의견이 중요해졌지. 내가 보는 진실을 바탕으로 한.
이 도시에 대해. 스파이더맨에 대해. 나 자신에 대해.
이건… 내 안에 남은 진실을 찾고자 하는 과정이야.
지금은 나만 알고 있는 진실이지만…
…다른 이들도 알아야 하니까.

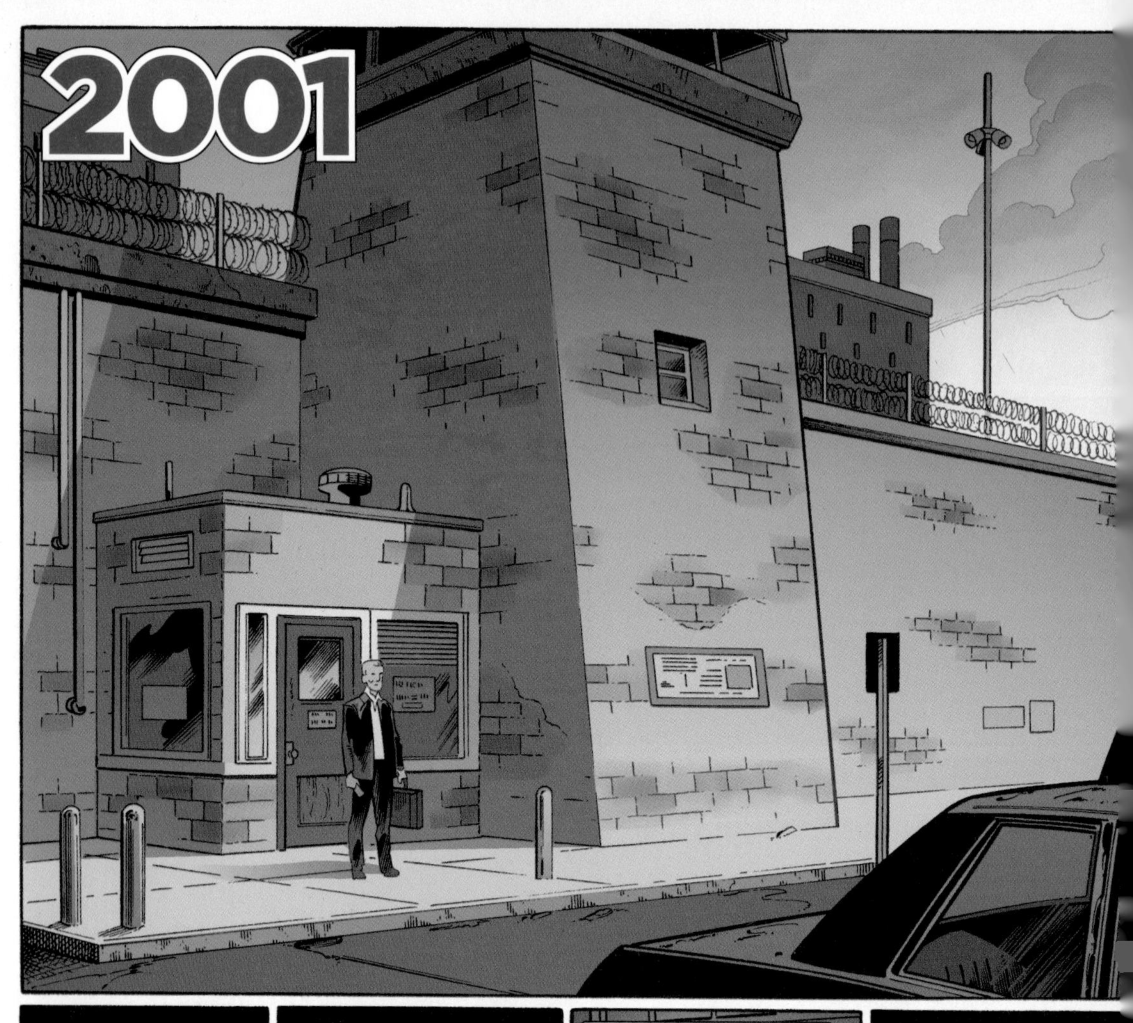
2001

J
베렛 웨이 16
N

헬렌 캐럴은 줄곧
내게 질문을 던졌다.
상황이 달랐다면 우리
기자로 고용했을 것이다.

캐럴이 물었던
질문은 이것이다.
어째서
회고록인가?
나는 세상 사람들에게
알리기 위해서라고 답했다.
진실을. 내 정체를….

나의
모든 면을.

난
이기적이다.
DAILY GLOBE
초인 싸움에 파괴된 명품 쇼핑몰
벌처 체포, 스파이더맨 행방은 오리무중
그리고
고집불통이다.
METS
성격도
불같고.
BILLY'S BUDGET BOOKS
하지만
무엇보다 나는…

…진정 선량한
사람이란 말이다.
J. 조나
제이머슨은
잘못을 바로잡는
사람이다.

교도소에서 보낸
긴 시간, 나는
내 삶을 돌아보았다.
제이머슨.
특히 그날 피터와
했던 전화 통화
생각을 자주 한다.
이렇게 해서 용서를
구하려는 건가?
피터도 모든 것을
빼앗겼는데. 그게
스파이더맨 탓이었나?
모르겠다.
이제
모른다는
점을
인정한다.

이제 끝났어, 가간! 너도―
그 말만은 옳았다. 스파이더맨도 인간일 뿐.
내게는 악령이었지만.
내 삶을 그에게 넘겨준 건 나 자신이었다.
내 잘못의 책임은 내게 있는데.
으윽…
뭐 하려는 거야?
당신이 뿌린 썩은 씨앗을…

여기서 나가면, 행여 나이 들어 걷지도 보지도 못하게 된다 해도, 내가 저지른 가장 큰 실수만은 반드시 바로잡을 것이다.
…이제 와 당신 손으로 묻으려고?
헉!

인정할 건 인정하지….
KRK
시도는 훌륭했어, 조나.
감옥에서 뒈져 버릴 수도 있었는데….
KRSHAK
내가 스콜피온을 만들었으니, 그 희생자들은 내 책임이다.
…이렇게 버티고 싸울 생각을 하다니! 사나이야!

잘못을 바로잡는 척 싸우고! 고귀한 죽음을 맞으시겠다!

스콜피온의 손에—
CHOKK
여기서 끝내겠다.
에… 크윽….
그저 사람들에게 내 목소리를 들려주고 싶었을 뿐인데…

으읍!!
PSHH
…이제 하고 싶은 말을 잊어버렸다.

이 책이 그 역할을 대신해 주길 바란다.
ㅇㅇㅇ….

…젠장, 이것도 쿨럭 보통 일이 아니군….

미안하다.
헉!
미,
미안….

생각보다 한산하네.
네?

조나 장례식인데.
아… 네, 아무래도….
평생 남을 교도소에 보내려고 했는데 정작 본인이 교도소에 갔으니 이럴 만하죠….

가만, 맙소사….

그웬?
헬렌이지. 오랜만이야, 피터.

아, 미안. 그렇게 오래전 일인데도 아직 어색해서….
죽은 아내의 클론을 보는 게? 당연히 그렇겠지.
나도 오고 싶진 않았는데, 실은….

죽기 전에
조나랑 일을
했었거든.
일? 무슨…?

교도소
에서.
벤과… 헤어지고 나도
화가 나 있었어. 너한테.
스파이더맨한테. 가는 곳마다
무고한 희생자를 남기는
슈퍼히어로들한테.
극복하는 데에만
몇 년이 걸렸지.

그러다 생각한
거야. 나 말고도
있겠지, 하고.
피터 같은 이들이
남기는 흔적을
치료해야 하는,
도움이 필요한
사람들이.

그래서 교도소 일에
자원했어. 네게 당한
자들, 네게 집착하는
자들을 돕는 일을
하려고.

그래서…
도움이 됐어?
조나 같은
사람이 나를 향한
증오에서 벗어난다는
건 상상할 수조차
없는데.

그렇지,
그래도 결국
에는…

거미줄
뒤엉킨 삶을 풀다
J. 조나 제이머슨 회고록
된 거 같아.
따끈따끈한 신작이야.

그릇된 집착과 임을 다룬 이 책은 조나 제이머슨이 든 것을 잃은 뒤 비로소 자신을 아 가는 과정을 다룬다….
와, 이건… 정말이지….
거미줄
J. 조나 제이머슨 회고록

조나는 피터에게, 스파이더맨에게 이 책을 주고 싶어 했어.
그웨— 헬렌… 난 이제 **스파이더맨이** 아니야….

난 널 누구보다도 잘 아는걸, 피터 파커.

“거미줄에 갇힌 건 조나 만이 아니야….”

“너도 마찬가지야.”

끝.

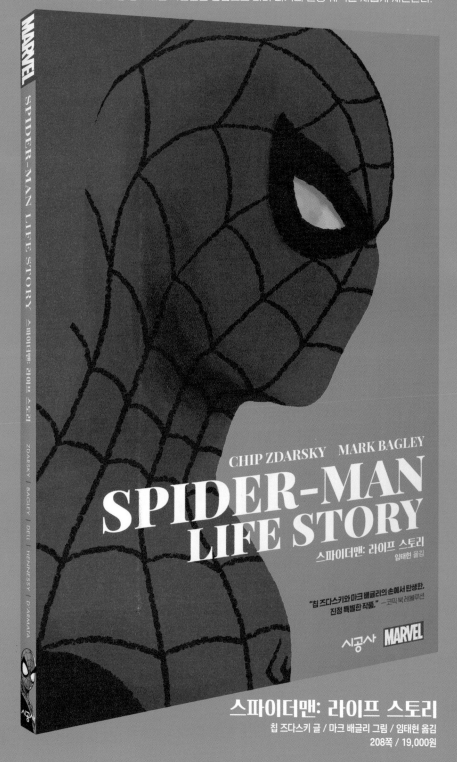

카카오페이지에서 웹툰으로 만나 보세요!

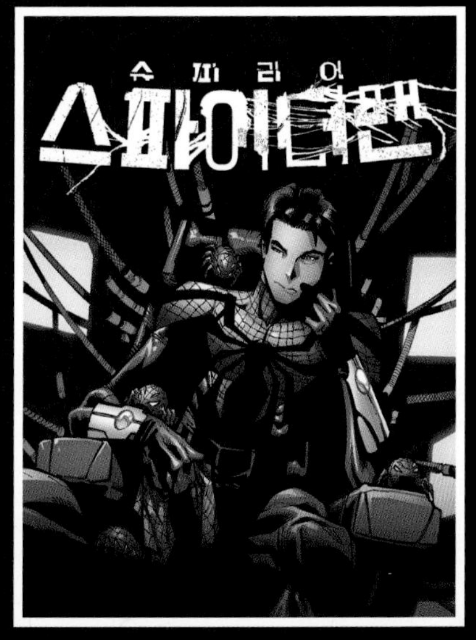

MARVEL
HIDDEN GEM
ONE-SHOTS